# L'IMMEUBLE DES FEMMES
## QUI ONT RENONCÉ AUX HOMMES

Karine Lambert est une photographe belge. Ses clichés sont de minuscules instants essentiels : éclats de rire, de sensualité, de fragilité, de vérité. Dévoreuse de livres, elle a toujours rêvé de partager sa passion pour les mots. D'une façon ou d'une autre, avec des images ou des phrases, elle raconte ce qui la touche. *L'immeuble des femmes qui ont renoncé aux hommes* a remporté en 2014 le Prix Saga Café qui couronne le meilleur premier roman belge. Il est également en cours de traduction en plusieurs langues étrangères.

KARINE LAMBERT

# L'immeuble des femmes qui ont renoncé aux hommes

ROMAN

MICHEL LAFON

© Éditions Michel Lafon, 2014.
ISBN : 978-2-253-18271-9 – 1$^{re}$ publication LGF

*Au prochain amour...*

« C'est impossible, dit la Fierté
C'est risqué, dit l'Expérience
C'est sans issue, dit la Raison
Essayons, murmure le Cœur. »

WILLIAM ARTHUR WARD

1

« Les passagers du vol 542 pour Bombay sont
attendus à l'embarquement porte 7. Dernier appel. »
La phrase redoutée par les quatre amies. Celles
qui restent à Paris entourent fébrilement la voya-
geuse.

— Tu as ton passeport, ma poule ?

— Oui, ma Simone.

— J'ai mis des amandes dans la poche de ton sac
à dos, murmure Rosalie.

— Tu es un ange. Avec ça je suis sûre de tenir le
coup si les hôtesses font la grève des plateaux-repas.

Elles sont arrivées beaucoup trop tôt, ont bu plusieurs cafés, n'ont touché ni aux croissants ni aux
chouquettes, ont parlé de broutilles en tout genre,
puis se sont tues. Et c'est au moment de se quitter que
leur sont venues mille choses essentielles à dire. Quand
l'une reprend son souffle, l'autre enchaîne et la troi-

sième, qui a envie de faire pipi depuis une heure – c'est trop tard maintenant, elle ne veut pas prendre le risque de faire des kilomètres de couloirs et de rater le départ –, prend la relève. Les recommandations et les questions fusent : « Mâche du chewing-gum au décollage. Ne nage pas dans le Gange. Bois de l'eau en bouteille. Rapporte-nous quatre saris. Attention au curry vert. Laisse traverser les vaches sacrées. Mets des boules Quies s'il y a trop de bruit. Combien d'habitants en Inde ? Combien d'hommes nus sous leur bout de tissu ? Donne des nouvelles, au moins pour dire que tu es bien arrivée. Reviens. »

— Je vous rappelle que j'ai quarante-sept ans, les filles.

— Oui, mais c'est la première fois que tu pars loin.

À côté d'elles, venus de nulle part, un homme et une femme s'enlacent. Au milieu du grand hall bondé, elles ne voient plus qu'eux. Habillés en blanc, chevelures mêlées, bouches jointes, superbes, ils forment un seul corps à quatre mains. Quatre mains qui se faufilent en territoire connu, se caressent, s'agrippent. Ils s'éloignent. Deux centimètres. Chuchotent. S'imbriquent de plus belle. Elles se demandent s'ils se disent des mots d'amour, guerriers ou consolateurs. Si c'est lui qui part et elle qui reste ou l'inverse. S'ils se quittent pour toujours. S'ils n'ont rien décidé. Elles ne savent pas.

— J'allais oublier, la Reine a donné ça pour toi. Quand tu seras dans un joli coin, plante-les en pensant à nous.

Carla prend le sachet de graines de bambou.

— Prenez soin d'elle.

— Grand soin. Allez… va, dit Simone. Et elle l'embrasse une dernière fois. Giuseppina regarde Carla droit dans les yeux.

— *Buon viaggio !*

— Ah ! Il y en a une qui a pensé à me le dire. *Grazie bella !*

Rosalie étreint l'aventurière.

— Ne nous oublie pas.

Elles la suivent du regard le plus longtemps possible, comme le font tous ceux qui accompagnent un être cher qui s'en va au bout du monde pour longtemps, en espérant qu'il change d'avis. Ce qui n'arrive jamais. Carla se retourne, sourit et disparaît.

Simone pianote sur son portable. Elle appelle celle qui est restée au cinquième étage de l'immeuble.

— Ça y est, elle est partie avec les graines de bambou, on rentre à la maison.

Elles traversent l'aéroport, bras dessus, bras dessous, au rythme de Giuseppina, qui traîne sa patte folle. Elles ont oublié les deux inséparables, n'entendent pas la femme qui crie qu'elle ne payera pas d'excédent de bagages, passent, sans les voir, au milieu des mamas affalées sur les banquettes de la salle d'attente, des enfants accrochés à leur doudou et des adultes scotchés à leur tablette. Elles ne se parlent pas mais sont unies par les bras et la pensée.

Elles s'installent sur le siège avant de la camionnette. L'arrière est encombré de guéridons, de fauteuils et de tableaux. Même s'il avait été vide, elles seraient restées ensemble.

— Vous vous souvenez quand Carla est arrivée…
— Elle avait un chignon et des lunettes rouges.
— Et une énorme valise.
— Vous oubliez Traviata, la perruche !
— Quel drame !
— Et Jean-Pierre qui paradait tout fier !
— Une seule bouchée !
— Tout le quartier a entendu le cri de Carla.

Elles avaient enterré Traviata sous les hortensias. La Reine sortait encore à l'époque. Elle leur avait concocté un haïku à sa façon, qu'elle avait déclamé devant le massif.

*Un oiseau s'en va*
*Le ciel et les nuages*
*Printemps lumineux.*

Carla voulait repartir sur-le-champ, avec son énorme valise et sa cage vide. Rosalie lui avait fait un massage ayurvédique sur le front et Simone des beignets aux pommes. C'était son dessert préféré. Elle était restée quatre ans. Puis, il y a un mois, elle leur avait annoncé qu'elle partait en Inde et qu'elle avait trouvé quelqu'un pour occuper son appartement. Elles ne devaient pas s'inquiéter, c'était une chouette fille.

— Elle s'appelle Juliette, la nouvelle.

— Elle arrive quand ?

Giuseppina monte le ton d'un cran.

— On n'entre pas dans cet immeuble comme dans un moulin. J'espère qu'elle ne va pas nous donner du fil à retordre.

Rosalie sourit.

— S'adapter au bonheur, c'est pas donné à tout le monde.

— C'est facile pourtant. Tu vis chez nous. Il ne peut rien t'arriver de grave, rétorque Simone.

— À part trébucher dans l'escalier, réplique Giuseppina.

— En tout cas, tu es à l'abri des chagrins d'amour, conclut Rosalie.

Les autres rient.

— Ralentis, c'est rouge !

C'est Giuseppina qui choisit la musique. Elles ouvrent les fenêtres et chantent à tue-tête. Giuseppina connaît les paroles par cœur, les autres font semblant : *Lasciatemi cantare… con la chitarra in mano… lasciatemi cantare… sono un Italiano*[1]…

Un embouteillage à la hauteur de la porte de Bagnolet ralentit le trafic. Elles ne sont pas pressées. Pas d'enfants, pas d'hommes. Juste Jean-Pierre.

— Giuseppina, tu nous emmèneras un jour dans ton pays ?

---

1. *L'Italiano,* Toto Cutugno.

— Mmmm, ronchonne l'intéressée.

— J'aimerais tant voir Syracuse.

— Mmmm...

— Fait chaud là-bas.

— Bon d'accord. On prendra ma camionnette. Je ferai un effort pour la vider.

Simone s'agite.

— On pourra embarquer un auto-stoppeur.

Rosalie pose la main sur son bras.

— À quoi ça servirait ? Même s'il est beau comme un dieu, on ne pourra pas le kidnapper et le ramener à la maison.

— Les mecs, je mets toujours un périmètre de sécurité entre eux et moi, dit Giuseppina.

— Vous croyez que la Reine nous accompagnerait en Sicile ? demande Rosalie.

— Tu sais bien qu'elle ne quitte pas ses bambous. Elle ne descendra plus. Sauf le jour où elle devra partir.

Rosalie diminue le volume de la musique. Elle se tourne vers les autres.

— Il y a certaines questions auxquelles je préfère ne pas avoir de réponse.

Giuseppina gare la camionnette devant la grille de l'immeuble. Elles en descendent toutes les trois. Simone fait signe à leur voisin qui les observe derrière son rideau.

— Monsieur Barthélémy est à son poste.

— On ne risque pas grand-chose avec lui, nuance Rosalie.

Giuseppina se plante devant les autres.

— Hé les filles ! Faut se méfier de tous. Du premier jusqu'au dernier.

## 2

— Merde !

— Qu'est-ce qui se passe ?

— J'ai failli louper une marche.

— Rallume…

— J'ai déjà essayé.

Dans l'obscurité de la cage d'escalier, les commentaires se bousculent.

— C'est la troisième panne ce mois-ci.

— Si ce n'est pas la minuterie, c'est général.

— Mais pourquoi ça saute comme ça ?

— La dernière fois, c'était l'appareil à croque-monsieur.

— Interdit ! Tu vas avoir une amende.

— Y a que la Reine que ça ne gêne pas. J'entends Bach là-haut.

— Elle a des piles, elle est organisée.

— Ce n'est pas de piles dont j'ai besoin moi…
c'est d'air… j'étouffe !

— Assieds-toi… respire lentement… avec le ventre…

— Il faudrait laisser une lampe de poche dans la
commode à l'entrée.

— … tu penses à une vague… qui va… qui vient…

— Quelqu'un a appelé l'électricienne ?

— … tu inspires… la vague arrive…

— Elle est en vacances.

— … tu expires… la vague repart…

— On va avoir du mal à en trouver une autre.

— Je ne sais même pas s'il existe deux électriciens
femmes dans tout Paris.

Sur le palier entre le premier et le deuxième étage,
elles s'agrippent l'une à l'autre. La belle Rosalie récite
un mantra. Giuseppina lui demande d'arrêter ce truc
débile. Simone pense qu'un bon pétard calmerait tout
le monde.

— JEAN-PIERRE ! Tu m'as fait peur !

— Jean-Pierre ? Je pensais qu'il n'y avait que des
femmes, ici !

— Qui a parlé ?

— Ça vient de chez Carla.

— C'est moi, Juliette. Je suis arrivée hier soir. C'est
qui Jean Pierre ?

— Hier soir… déjà ! s'exclame Giuseppina.

— Jean-Pierre, c'est le seul mâle de l'immeuble.

— Dommage qu'il ne change pas les fusibles.

— Il s'en fout, il voit dans le noir.

— Jean-Pierre, viens mon chéri, elles sont jalouses que tu passes tes nuits dans mon lit.

— Un chat, ça n'a jamais remplacé un homme !

— Dites, la nouvelle, Carla vous a bien expliqué le règlement intérieur ?

— Les grandes lignes.

— C'est strict ici ! Pas de maris, pas d'amants, pas de plombiers, pas d'électriciens.

— Pas de livreurs de pizzas.

— Pas d'hommes !

— Pas d'hommes ? balbutie Juliette.

Giuseppina s'impatiente.

— Vous avez tout compris. Bon, qu'est-ce qu'on fait, nous ?

— Si c'est une panne de secteur, c'est loupé pour le cinéma, répond Rosalie.

— On va encore se taper un Scrabble à la bougie, enchaîne Simone.

— D'accord, mais tu ne triches plus.

— Je n'ai pas triché, j'ai gagné avec « zéphyrs ».

— Sur mot compte triple !

— Et comme par hasard, c'est toi qui avais le z et le y !

— « Il faut que le hasard renverse la fourmi pour qu'elle découvre le ciel. »

— T'as tout à fait l'air d'une fourmi !

— On va chez toi, Giuseppina. C'est plus près.

Elles se tiennent à la rampe. Simone s'accroche au bras de Rosalie.

— Viens avec nous, Jean-Pierre.
— Vous allez vous débrouiller toute seule, Juliette ?

Juliette reste assise sur la cinquième marche.
*Pas d'hommes !*

## 3

Un immeuble particulier. Une Reine fan de Bach. Une rencontre insolite avec des voix sans visages. Juliette ne savait toujours pas à quoi ressemblaient les autres locataires. La lumière n'était pas revenue. Le comité d'accueil était parti jouer au Scrabble et elle était montée se coucher dans le noir.

Elle avait pourtant ressenti une grande paix quand elle était entrée pour la première fois dans l'impasse. Les façades aux couleurs délavées et les maisons de briques, couvertes de lierre ou de glycine et agrémentées de petits jardins ou de cours fleuries, donnaient des airs champêtres au XX$^e$ arrondissement. Le calme émanant de cet îlot préservé, où le temps semblait s'être arrêté, lui avait fait ralentir le pas, regarder le ciel, écouter les oiseaux. Quand elle avait poussé la grille en fer forgé du numéro 15, le geste lui avait semblé familier. Cette sensation de déjà-vu, de déjà-vécu, était revenue les jours suivants. Elle était enfin arrivée au bon endroit. C'était là et pas ailleurs qu'elle devait vivre.

Pourquoi cette certitude alors qu'elle n'allait y rester que quelques mois ? Peut-être le banc, sur lequel un couple âgé lui paraissait avoir ses habitudes. La vieille dame, toute menue, marchait difficilement. Lui, plus solide, la soutenait par le coude. Juliette avait remarqué qu'il époussetait consciencieusement avec son mouchoir la place où elle allait s'asseoir. Ils restaient là, silencieux. Parfois il remettait en place une mèche des cheveux blancs de sa compagne avec une infinie délicatesse… Peut-être les hortensias, très en avance cette année. Elle les avait toujours aimés et dans la cour pavée il y en avait d'énormes massifs, framboise, mauves, et un peu plus loin, de cet indigo aux nuances changeantes, si particulier parce qu'il pousse bleu et devient rose… Peut-être le drôle de petit diable aux oreilles pointues, sculpté sur la porte en bois. Il tirait la langue et ça la faisait rire. En y regardant de plus près, c'était une diablesse… Peut-être la commode en poirier du hall d'entrée et le vase en opaline plein de renoncules faisant la révérence.

À moins que sa sensation de bien-être ne vienne pas de ces détails charmants mais plutôt de l'histoire si romanesque de cette grande maison. Un Italien fou d'amour en avait fait cadeau à l'actuelle propriétaire. Puis un soir, il avait disparu.

Après lui avoir décrit le quartier, Carla avait simplement ajouté : « Tes futures voisines sont des femmes attachantes, très différentes les unes des autres. Ce qui nous unit, c'est un même choix : il n'y a pas d'hommes dans nos vies et ça nous convient. »

Juliette avait apprécié le choix du verbe convenir.

4

Au premier étage, Giuseppina Volpino. Chez elle on la surnommait *Cosetta*. « Petite chose », dans le dialecte de sa région. Elle ne voulait plus jamais être appelée de cette façon. Quand elle avait répondu à l'annonce pour l'appartement, elle avait raconté son histoire à la Reine d'une traite, comme pour s'en débarrasser définitivement. D'une voix éraillée de fumeuse, elle avait expliqué pourquoi il n'y aurait pas d'hommes chez elle.

— *Finito ! Basta !*

Quand on naît à Caltanissetta, sur une colline à cent kilomètres de Catane, et qu'on a un père et trois frères, il n'y a qu'un sillon étroit : le leur. Une seule façon de se comporter : celle dictée par leurs codes et leur réputation. On ne respire pas sans leur consentement. La famille sicilienne : *uno poulpo con tentacoli !*

Leur terre devenue trop aride, les Volpino avaient dû abandonner leurs vignes et leurs oliviers pour venir travailler à la mine dans le nord de la France. Mais ils continuaient de vivre comme des Siciliens et conservaient ainsi la plus précieuse partie d'eux-mêmes : leur âme. Marcello, le Padre, ne souriait jamais. Il risquait sa vie tous les jours dans les galeries et ça n'adoucissait pas son caractère. Avec des centaines de mètres cubes de terre au-dessus de lui, il avait peur d'être écrasé comme une figue au fond d'un panier. Après le boulot, on le trouvait au bistrot, hiver comme été, la casquette vissée sur la tête. Taiseux, il ne justifiait pas ses décisions, un sourcil plus haut que l'autre suffisait pour signifier sa désapprobation. La Mamma, elle, avait le corps aussi rugueux que le cœur. Jamais assise, elle travaillait du lever au coucher du soleil, au service des hommes du clan. On ne pouvait pas lui interdire de penser mais elle avait le devoir de se taire. Une fois seulement, à la fin d'un repas du soir – ils étaient tous là, quatre enfants en cinq ans –, elle avait osé s'exprimer.

— Je sors, avait dit le Padre, vérifiant que sa casquette était bien en place.

— Ivrogne ! avait marmonné la Mamma entre ses dents.

Il avait attrapé la cafetière Bialetti en métal remplie à ras bord de liquide brûlant et l'avait envoyée à la tête de sa femme. L'été, la tache se confondait avec la peau brune mais l'hiver, une ombre allait de sa gorge à son décolleté.

Dans la famille, ils faisaient comme si cette tache n'existait pas. Giuseppina était toute petite à l'époque de l'incident mais quarante ans plus tard, ses yeux s'assombrissaient encore quand elle repensait au visage de sa mère.

Ses frères, Tiziano, Angelo et Fabio, se ressemblaient : cheveux noirs gominés, rasés de loin, chemise ouverte sur une forêt de poils où scintillaient une chaîne et une croix en or. Pantalon ajusté, mains dans les poches, ils marchaient nonchalamment, regardant les femmes avec un mélange de convoitise et d'arrogance, et les hommes, comme des adversaires. Et gare à ceux qui les auraient traités d'Italiens, la pire des insultes pour un Sicilien.

Ses gardes du corps suivaient Giuseppina partout et lui répétaient à longueur de journée :

— *Nessuna confidenza con i ragazzi*[1] !

Pour eux, une fille ne sort pas, ne boit pas, ne fume pas. Une fille, c'est un modèle de vertu. Alors, le jour où elle était rentrée de l'école avec un suçon dans le cou, ils l'avaient giflée. Trois fois. Une gifle par frère. Ils étaient déracinés et elle était la dernière radicelle, fallait pas qu'elle se transforme en mauvaise herbe. Du haut de ses treize ans, elle était restée droite, les regardant dans les yeux, sans pleurer, les joues brûlantes.

---

1. Aucune familiarité avec les garçons !

*

Le loyer était modéré mais les locataires devaient plaire à la propriétaire. La Reine avait apprécié la force de caractère qui se dégageait du récit de cette femme à la démarche bancale, dont le corps sec faisait penser à un insecte. Une mèche grise dans des cheveux noirs, les yeux foncés, le regard vif, elle était vêtue en plein hiver de collants à fleurs et d'une robe en soie des années cinquante sous une vieille veste en daim trop grande. Une interminable écharpe violette tricotée par quelqu'un qui ignorait tout du point de riz complétait l'ensemble.

Giuseppina, c'est le contraire d'une petite chose. Debout chaque jour à cinq heures, sans un regard pour le ciel, elle grimpe dans sa camionnette, une Muratti au coin de la bouche et part tenir son stand aux Puces, chiner ou explorer les greniers.

La Reine avait dit oui sans hésiter et elle ne l'avait jamais regretté. Giuseppina encore moins.

5

Juliette est invitée au dernier étage de l'immeuble. Elle entend dans la cage d'escalier un son étrange qui lui rappelle le chant des cigales. Elle sourit.

Sur le mur du cinquième palier, une affiche dans un cadre vermoulu avec une ravissante jeune fille sur pointes, en tutu blanc. « Opéra Royal – Stella danse *Coppélia* – Samedi 16 décembre 1972. »

— Je l'ai trop regardée, c'est pour ça que je l'ai mise sur le palier.

Juliette lève la tête. La femme de l'affiche est là, appuyée au chambranle. Gracieuse, longiligne, c'est la Reine ! Le dos droit, les épaules basses, les pieds à dix heures dix, elle porte un pantalon ardoise à la coupe impeccable, un pull en cachemire perle et des ballerines. Ses cheveux gris relevés en chignon mettent en valeur un visage à l'ovale encore parfait. Une élégance et une simplicité qui font ressortir des yeux d'une incroyable couleur améthyste. L'apparition est, en effet, souveraine.

À soixante-quinze ans, l'étoile n'a pas oublié l'ovation de ce soir-là à Stockholm : les gens debout, applaudissant pendant douze minutes, la famille royale de Suède au balcon, les bouquets de fleurs jetés sur la scène. Après la représentation, un cousin du roi lui avait dit dans sa loge : « Je viens de vivre un moment exceptionnel. Vous êtes la plus jolie danseuse du monde. »

La plus jolie danseuse du monde regarde sa nouvelle locataire. Fraîche, des rondeurs appétissantes dans une robe à pois multicolores, un teint velouté sous d'épais cheveux bouclés acajou. Le visage de Juliette est éclairé par de grands yeux verts aux éclats dorés.

— Ne sois pas surprise d'entendre des cigales. L'été me manque… la chaleur, la lavande, mon corps nu sur le sable.

*Carla, tu ne m'as pas tout dit !*

— Entre et ferme la porte. C'est magnifique ces petites choses, poursuit sa propriétaire en montrant son iPod. Il n'y a pas que les cigales là-dedans, il y a le rire de mon frère qui vit très loin d'ici, les cloches du village de Sainte-Eulalie où je suis née, le rossignol qui chante seulement à partir du mois de mai chez nous. Des mouettes, aussi, et beaucoup d'applaudissements.

30

Juliette découvre émerveillée que les baies vitrées occupent deux murs entiers du salon. Elle a la sensation d'être en plein ciel.

— Bienvenue dans mon royaume !

D'un geste sophistiqué que Juliette lui envie, la Reine lui suggère de prendre place à son côté dans l'immense canapé en velours rouge. Sur une table basse en Plexiglas, un vase boule déborde de pivoines rose pâle, dont une multitude de pétales jonchent déjà le sol. Deux verres turquoise et une carafe assortie, remplie de nectar de poire, sont disposés sur un plateau miroir, à côté de tartelettes au citron miniatures et d'un échafaudage de macarons.

*On dirait un mikado, si j'en prends un, tout va s'effondrer.*

— Alors petite… il n'y a pas d'homme dans ta vie ?

*Pour le moment. Mais plus pour longtemps.*

— C'est obligatoire pour vivre ici. Les hommes s'arrêtent à la grille.

*Et on peut leur envoyer des textos pendant la nuit ?*

L'autorité de cette femme, le code de bonne conduite de la maison incitent Juliette au silence. Elle a besoin de cet appartement. Et pourtant elle n'a pas envie de lui mentir.

— Il y a quand même Max, mon meilleur ami…

La Reine l'interrompt.

— Aucun homme dans ma maison ! Aucune dérogation ! Mais la ville est vaste.

31

*Elle doit couper la tête de ceux qui désobéissent, comme la Reine de cœur dans* Alice au pays des merveilles.

— Que fais-tu de tes journées ?

— Je suis monteuse.

— Ça consiste en quoi ?

— En ce moment je travaille sur un enchaînement de scènes cultes. Pour une rétrospective.

La Reine sert le nectar de poire. Elle remplit un premier verre, relève la tête, dévisage Juliette, remplit le deuxième verre et avant de reposer la carafe, demande :

— Et comment les choisis-tu, tes scènes ?

— Je crois que c'est l'émotion qui me guide, répond Juliette.

Les deux femmes se regardent.

— Les scènes qui me bouleversent, que je peux revoir sans jamais me lasser, comme dans *Des hommes et des dieux*. Vous l'avez vu ?

— Trois fois !

*C'est dingue ! Je suis en train de boire du nectar de poire, dans les nuages, avec une reine coupeuse de têtes et fana de cinéma !*

— Vous voyez ce moment, sur la musique de Tchaïkovski, quand la caméra balaye, un à un, les visages des moines qui ont décidé de renoncer à la vie.

— Ti li li Ti li li… ti li li li… C'est aussi la musique du *Lac des cygnes*.

La Reine fait virevolter sa main très vite, comme un papillon agité, revivant tous les enchaînements de la chorégraphie. Juliette ne quitte pas la main des yeux.

*La prochaine fois que je regarderai le film, je me souviendrai de cet instant.*

La Reine se calme, revient à la réalité.

— Quelle est la scène que tu préfères entre toutes ?

— Romy Schneider et Philippe Noiret dans *Le Vieux Fusil,* la rencontre dans le café, répond Juliette sans hésiter.

— Je ne me souviens pas de leurs mots.

Juliette joue la scène, changeant de voix à chaque réplique, une voix lumineuse pour Romy, une voix grave pour Noiret.

Clara : *Que faites-vous dans la vie ?*

Julien : *Je suis médecin. Et vous, que faites-vous ?*

Clara : *Moi ? Rien.*

Julien : *Rien du tout ?*

Clara : *Enfin, j'essaye. C'est pas facile… Qu'est-ce que vous avez ?*

Julien : *Je vous aime.*

Juliette détourne le regard vers la terrasse : un jardin suspendu qui prolonge le salon.

— Des bambous en pots ! C'est magnifique !

— C'est ma fierté et ma hantise.

— Pourquoi votre hantise ?

— Ils pourraient fleurir.

— Et alors…

— C'est un moment unique qui n'arrive pour certains que tous les cent vingt-sept ans. Tous les bambous d'une même variété fleurissent simultanément dans le monde, où qu'ils soient, quel que soit le moment où ils ont été plantés. Peu après, ils meurent d'épuisement, tous en même temps. Si le vent souffle ce jour-là, on dit qu'on entend pleurer les bambous.

— Vous êtes aussi botaniste ?

La Reine éclate de rire.

— Tu sais, les plantes, elles sont aussi surprenantes que les êtres humains. Elles communiquent entre elles par des molécules chimiques volatiles.

— Un suicide collectif ?

— Plutôt une forme de mémoire génétique. Imagine que tous les spécimens de l'espèce mâle soient génétiquement identiques comme les bambous, eux aussi rendraient l'âme d'un seul souffle !

La voix de la Reine se fait sensuelle, tout à coup.

— Et des hommes il en faut beaucoup au cours d'une vie de femme. Mille hommes… mille étincelles !

*Mille ! Ils sont bien cachés.*

— L'homme qui vous a offert l'immeuble…

— Tu sembles déjà très au courant.

— Carla m'a dit… pardon… je ne pensais pas…

La Reine laisse un silence s'installer avant de continuer.

— Fabio. C'est Fabio qui m'a offert l'immeuble. Je l'entends encore : « Faites-en un endroit qui vous protégera, *mi amore* »… Il n'y a que sur scène qu'on peut danser tous les jours la même chorégraphie avec son partenaire sans tomber. Dans la vie c'est plus périlleux.

La Reine se lève, esquisse une pirouette, son pied frôle les fleurs, les derniers pétales de pivoine s'envolent.

Juliette la regarde, amusée.

*Ça y est, j'ai compris. Elle a fumé des feuilles de bambou !*

La Reine tourne le dos à Juliette pour lui cacher son visage sur lequel s'affiche la douleur. Toujours cette foutue hanche. Elle va s'asseoir dans un petit fauteuil, dispose les tartelettes au citron sur deux assiettes. La lumière de la baie vitrée l'auréole d'ambre.

*Elle est belle quand elle est calme.*

— L'amour, c'est se jeter dans le vide, chuchote la Reine. Les hommes ont le vertige, se raccrochent à leur mère, leurs enfants ou leurs joujoux. Je me souviens d'Henri...

Juliette s'avance sur le bord du canapé, pour ne rien perdre de la confidence.

— Il avait soixante-deux ans, ses yeux brillaient quand il parlait de sa passion. En arrivant chez lui j'ai découvert que tout l'espace du salon de son appartement était occupé par cette passion : un train électrique !

*L'Orient-Express, avec un homme ! Les compartiments en acajou poli, la lumière tamisée des lampes de chevet, les lits aux draps blancs amidonnés, faire l'amour entre Istanbul et Saint-Pétersbourg...*

— Il passait toute l'année dans l'attente de ce moment où il partait à Amsterdam acheter, dans un magasin très spécialisé, un wagon ou une barrière pour la gare. Les hommes collectionnent pour lutter contre l'angoisse de mort. Ils ne peuvent pas mourir tant qu'il y a encore trois timbres ou une locomotive à acheter quelque part.

*Pourquoi elle me déballe tout ça ? Elle doit s'ennuyer ici. Elle n'a plus de public. Je suis à la sortie du film… Mercredi, quatorze heures.*

— Et les femmes, elles collectionnent aussi ?

— Les femmes collectionnent rarement. Moi, j'ai collectionné les hommes.

*La Reine et ses amants éphémères.*

Juliette répond dans un sourire :

— Moi, j'ai collectionné les *Martine : Martine à la plage, Martine à la campagne…*

— Martine, elle est beaucoup trop sage pour moi.

La Reine réajuste son chignon. Le regard de Juliette glisse sur les mains froissées comme un parchemin.

*Ces mains-là ont été fines, belles, lisses, ont caressé.*

— Mille hommes, une fulgurance. Tous, ils m'ont aimée follement. Des semaines de cour enflammée avant un vol nuptial, unique.

*Ah ! C'est donc ça, la « Reine » ! La mort du mâle !*

— La difficulté, quand il y avait dix hommes qui m'offraient des corbeilles de roses ou des bijoux, c'était de choisir. J'apparaissais, je disparaissais, j'écoutais, je regardais. Les hommes, c'est captivant de les observer.

— L'amour, dit Juliette, ce sont aussi les petites choses du quotidien, partir au marché à deux, cuisiner à quatre mains, tous les soirs, en se racontant sa journée.

— L'amour dont tu parles, c'est un voyage obstiné. Le véritable amour, il est sauvage, ce n'est pas un jardin qu'on cultive.

Un bourdon est entré dans la pièce et se pose sur le bord d'un cadre. La Reine se lève, l'attrape doucement avec deux doigts, le met dans sa paume et referme sa main sur lui. Elle ouvre la baie vitrée, attend un moment, semble hésiter avant de lui rendre la liberté.

*Il a été gracié !*

— J'ai tourbillonné pour eux et j'ai vu les yeux des hommes s'allumer, comme ceux de mon père la première fois qu'il m'a vue danser.

Le visage de Juliette s'assombrit et la Reine pense instantanément à l'histoire du « bras cassé » que Carla lui a racontée : à dix ans Juliette s'était fabriqué un faux plâtre pour attirer sur elle l'attention de son père et de sa mère. Elle l'avait gardé huit jours. Ses parents n'avaient rien remarqué.

Juliette saisit un macaron d'un geste brusque. Un deuxième. La pile s'écroule.

La Reine observe le désarroi de la jeune fille, se lève, caresse sa joue, marche lentement vers la terrasse.

Elle s'est revue jeune, belle, adulée.

— Je vis avec mes souvenirs et la grille au bout de la cour est mon garde-fou.

*Elle est magnifique. Elle pourrait encore séduire.*

La Reine tourne le dos à Juliette et reste ainsi, face aux bambous.

— Je te laisse… tu connais le chemin.

6

*Je te laisse.*
Juliette s'assied dans l'escalier. Elle ferme les yeux.

... C'est l'été, en vacances à Étretat, elle a huit ans.
Ses parents la déposent au club des Pingouins pour la
journée et pour son bien. C'est ce qu'ils disent.

Trois, c'est un chiffre qu'ils n'aiment pas beaucoup.
Elle n'a pourtant qu'une envie : les accompagner,
marcher entre eux, toutes leurs mains bien accro-
chées.

*Emmenez-moi, je ne ferai pas de bruit.*

Il pleut et il y a beaucoup d'enfants. Quelques
grands sont partis à l'assaut des trampolines. Les
autres, moins téméraires ou plus frileux, sont restés à
l'intérieur : une volière pleine de moineaux qui battent
des ailes et pépient. Du coin sombre où elle s'est réfu-
giée, Juliette les observe. Ça lui rappelle l'école, la

cour de récréation et les filles qui racontent n'importe quoi.

*Leurs bouches crachent des mensonges. Les pires, c'est ceux d'Élodie : « Le matin pour me réveiller, ma maman vient sous la couette et me chante une chanson en me caressant la joue avec une plume. » C'est nul ! Moi, je me réveille seule. Je suis grande, je le sais, même si je ne souffle jamais de bougies. Élodie et les autres, c'est rien que des menteuses. Elles disent que leur maman sent bon, qu'elle les appelle par des petits noms : « Ma princesse, ma jolie, ma chérie. » Langues de vipère, fifilles à leur mémère... toutes en enfer ! Moi, j'ai pas le temps de renifler son parfum, un bout de jupe et pfft... Elle passe toujours très vite à côté de moi, comme on faisait avec Gisèle, la surveillante de la cantine, quand elle avait des boutons de varicelle plein la figure.*

Au club des Pingouins, tous s'arrêtent de jouer. Les uns ouvrent un paquet de biscuits, les autres sortent de leur sac des galettes ou un morceau de gâteau, autant de petites merveilles joliment emballées. Elle n'a rien. Ses parents n'y ont pas pensé.

*J'ai faim ! J'ai faim ! J'ai faim !*

Une petite blonde en salopette rayée lui propose une pomme. Juliette se mord la lèvre, fronce les sourcils pour essayer de dire oui et finalement baisse la tête.

Après le goûter, tout le monde participe à un jeu, tout le monde découpe et colle des papiers de couleur qui se transforment en animaux bizarres, tout le monde range en chantant. On ne lui a pas demandé de participer.

*Personne ne me voit. Je suis transparente.*

Un à un, les enfants s'en vont, retrouvent leurs parents qui leur annoncent joyeusement des projets de pizzeria ou de fête foraine en famille pour la soirée. À cinq heures et demie, ils sont tous partis. La volière s'est tue. Plus un moineau qui pépie. Les jouets sont figés dans leurs casiers. Il ne reste que Juliette dans le grand espace vide. Six heures moins le quart, six heures…

*C'est comme au club Mickey à Deauville, au club des Marsouins au Touquet, au club Les Moussaillons à Arcachon. Faut pas que je pleure, sinon ça va déborder.*

Pepita, la monitrice – une petite brune nerveuse avec une queue-de-cheval –, fixe la pendule sur le mur comme si ses parents allaient en sortir. Son regard va et vient de Juliette à la pendule.

*Peut-être qu'ils ne vont pas revenir cette fois-ci.*

Juliette a la tête qui tourne. Elle frotte son pouce contre son index, de plus en plus fort.

*Peut-être que j'aurais dû demander à la fille à la pomme de partir avec eux. Est-ce qu'on peut se faire adopter quand on a des parents encore vivants ?*

Six heures et demie, sept heures. Personne ! Pepita relit pour la troisième fois une liste avec des noms et des numéros de téléphone. Rien. Partis sans laisser d'adresse.

*Moi on m'appelle « Chuuuuut » ! C'est vilain, mais c'est mieux que rien. Ça fait un petit bruit dans le silence. Le silence est immense. Il est froid. Il fait mal quand il s'enroule autour de moi. Des fois je crie très fort « Y A QUELQU'UN ? » Mais le son reste coincé à l'intérieur. C'est toujours le silence qui gagne.*

Pepita parle toute seule.

— On va être en retard au cinéma. Il déteste attendre. Je vais passer une mauvaise soirée.

*Qu'est-ce qu'elle va faire de moi ? Elle va me laisser où ? À la caisse du cinéma ? Au commissariat ?*

Pepita fait les cent pas… la fenêtre, la pendule, la porte, la liste, Juliette, et recommence. La queue-de-cheval saute dans tous les sens. Juliette voudrait s'accrocher à ses jambes pour qu'elle cesse de bouger. Interrompant brusquement sa marche et son monologue, Pepita s'arrête devant Juliette et crie :

— MAIS ILS SONT OÙ TES PARENTS ?

Juliette ne sait pas. Ils ne lui disent jamais où ils vont.

*Je ne suis pas assez belle pour aller me promener avec eux, ça ferait comme une tache sur leurs jolis vêtements. À deux c'est plus propre.*

Pour arrêter l'interrogatoire, elle dessine l'hôtel, très grand, face à la mer. Miss Pepita se précipite sur le téléphone.

— Une petite fille… toute seule… dépêchez-vous.

Elle sort une trousse de son sac, se met du fard à paupières et du rouge à lèvres, en se regardant dans un miroir.

*C'est beau ces couleurs. Moi, ils veulent m'effacer. Ils y arrivent très bien. Je suis le dernier des plus petits de leurs soucis.*

Juliette se colle contre la vitre.

*Si elle se maquille, elle va s'en aller bientôt… y aura plus personne… juste le silence et moi.*

Elle entend une voiture se garer, des portières qui se ferment. Elle arrête de respirer. Puis elle reconnaît le « clic clac » des sandales à hauts talons de sa mère, celles qui lui allongent les jambes et soulignent la finesse de ses chevilles. Son timbre haut perché répond à la voix grave de son père. Juliette a le cœur qui bat comme un tambour.

*Ils sont revenus me chercher.*

Par la fenêtre, elle regarde son père mordiller le cou de sa mère, la grignoter, en lui murmurant quelque chose à l'oreille. Ils sont beaux. Lui porte une chemise bleu ciel grande ouverte sur son torse bronzé. Elle, une robe fluide qui bouge à chacun de ses mouvements.

*On dirait des acteurs de cinéma.*

Ils entrent en riant, légers comme des bulles de savon. Juliette court vers eux.

— Attention, tu vas abîmer ma robe !

— Alors, tu t'es bien amusée ?

— C'était long.

— Tu exagères toujours.

— Je pensais que vous m'aviez oubliée.

— Chuuuuut !

Pepita s'impatiente.

— Les activités se terminent à dix-sept heures. Je ne suis pas votre baby-sitter.

Les parents de Juliette s'embrassent.

Pepita leur jette un regard furieux.

Juliette admire la beauté du visage de sa mère.

*Peut-être qu'un jour elle me prendra dans ses bras.*

— Allez viens, on n'a pas que ça à faire. On va être en retard au restaurant et il faut encore te déposer à l'hôtel.

— J'ai faim. Tout le monde avait un goûter.

— Chuuuuut !

Les acteurs de cinéma marchent devant elle en se parlant tout bas.


« Tu te souviens du club des Pingouins ? » Ses parents lui rappellent souvent cet épisode-là, comme une bonne blague, comme un souvenir qui les lie. Alors qu'ils l'ont oubliée tant de fois, à tant d'endroits.

Oui, Juliette se souvient. De chaque détail. Ils sont là, dans sa tête, indélogeables, rouillés. Depuis, elle a toujours du chocolat sur elle.

*Est-ce qu'on peut faire provision d'amour comme de sucreries ?*

Juliette voudrait frapper à la porte de la Reine, lui raconter ce souvenir. Elle regarde l'affiche, se lève, descend au deuxième étage, se passe de l'eau froide sur le visage, avale une part de moelleux au cacao, finit le gâteau et s'en va.

## 7

Juliette referme la grille. De l'autre côté de l'impasse un rideau s'écarte à la fenêtre du premier étage, laissant entrevoir une silhouette. Il retombe une fois qu'elle s'est éloignée.

Elle marche au hasard des ruelles, enveloppée par la chaleur inattendue d'un printemps précoce, croise des gens qui bavardent, baguette sous le bras, et tente de se souvenir de ce que Carla lui a raconté quand elle lui a proposé de venir s'installer chez elle.

Elles s'étaient connues à l'école de cinéma Louis-Lumière. Carla venait d'y être engagée comme secrétaire, Juliette était en dernière année. La première avait trouvé la deuxième en larmes, assise dans un couloir, le jour de la projection des films de fin d'études. Tous les parents étaient là, sauf les siens. Carla avait été touchée par la détresse de cette jolie fille qui avait des traces de mascara jusqu'au milieu des joues. Elles avaient souvent parlé, jusqu'à la fin du trimestre, puis s'étaient perdues de vue. Il y a quelques semaines, elles s'étaient retrouvées nez à nez à la cinémathèque. Carla venait de décider de partir en Inde pour plusieurs mois. Son appartement allait rester vide, elles s'étaient donné rendez-vous pour en discuter.

— … Au bout de la rue à droite, le Chou de Bruxelles. C'est le domaine de Nicole et Monique : deux ex-fonctionnaires de La Poste, reconverties dans les graines de courge, le quinoa et les légumes oubliés. Surtout des choux : romanesco, violet, rouge, vert, chinois. Tu n'y échapperas pas, c'est leur dada. Un peu plus loin dans la rue… la librairie, avec ses vieilles étagères en bois. Le libraire, c'est Marcel. Un poète ! Il concocte des fiches genre coups de cœur. Tu peux lui faire confiance. À côté, y a le fleuriste. Son truc, c'est les bouquets japonais. Ces deux-là, tu les trouves souvent sur le pas de la porte en train de causer.

Carla avait continué pendant que Juliette buvait son café, les clés posées sur la table.

— Plus bas, un fromager, chez qui je ne vais jamais parce que tous les prix se terminent par virgule 99 et ça c'est plus fort que moi, je ne peux pas. Sur la gauche, la quincaillerie des frères Leroy. En tablier gris, à l'ancienne. Ils te font signe de la main quand tu passes devant la boutique. Quand tu entres, ils oublient de te servir, parce que, eux, ce qu'ils préfèrent, c'est commenter l'actualité… « Le quinze a mis une raclée aux Néo-Zélandais… le député est venu serrer les pinces pour qu'on vote pour lui dimanche. »

Plus moyen d'arrêter Carla. Juliette avait commandé un autre café.

— De l'autre côté du square, le cordonnier. Paraît qu'il a des mains en or. Chez Christian le boucher, il y a un banc. Comme il connaît tout le quartier, un jour il te présente Jacques et un jour Jacques te présente Hervé. Hervé c'est l'agent immobilier, qui, à cinquante ans, vit encore avec son père, sa mère et sa sœur. Ils se déplacent toujours ensemble, la famille Century ! Ils marchent les uns derrière les autres, Hervé en tête et, en dernier, le grand caniche blanc à pompons de sa sœur.

Séduite par cette description pittoresque, Juliette avait accepté la proposition de Carla, qui avait ajouté : « Je t'écrirai. » Tout s'était fait très vite. Juliette avait un nouveau chez-elle, alors qu'elle scrutait les annonces depuis des mois sans rien trouver. Mais des femmes de l'immeuble, elle ne savait rien, si ce n'est qu'elles avaient renoncé à l'amour.

*

Juliette continue de flâner. Elle suit du regard un homme qui passe en Vespa. Il ralentit, s'arrête, des-

46

cend de son engin. Il a les fesses moulées dans un jean. Des fesses rondes, parfaites.

*Ouf ! Le quartier n'est pas interdit aux garçons.*

Elle chantonne : *Fly me to the Moon and let me play among the stars...* et entre d'un pas léger au Chou de Bruxelles.

— Bonjour, je voudrais trois golden et une botte de carottes, sans les feuilles.

— Les golden c'est pas la saison, je vous mets des boskoop, ronchonne Monique. Les carottes ce sont des nantaises, délicieuses avec des échalotes et des lentilles. Faudra bien les brosser. Je laisse les fanes, c'est bourré de vitamines. Et je vous mets un brocoli, vous m'en direz des nouvelles.

Juliette entend une voix chuchoter dans son dos.

— Vous venez d'arriver dans le quartier...

Elle se retourne. Un vieux monsieur en chaussons, le teint pâle et les joues roses, vêtu d'un pantalon de drap épais et d'un gilet sans manches sur une chemise à carreaux la dévisage, la main gauche agrippée à un cabas à fleurs.

*Le seul homme qui me suit dans la rue a cent cinquante ans et des charentaises !*

— Je vous ai vue sortir de l'immeuble...

— J'occupe l'appartement d'une amie qui est en voyage.

— Ah ! Vous aussi alors... vous faites partie de la secte !

*C'est provisoire.*

— Avant, y a longtemps, y avait des hommes. J'en vois plus jamais. Elles les ont peut-être tués !

*Pas étonnant que ça jase.*

— Pendant que vous faisiez vos courses, la camionnette de l'électricien est arrivée.

— On l'attendait.

— Et c'est une femme qui en est sortie ! Mais où va le monde ?

Juliette décide de rentrer. La petite table en fer forgé et ses chaises lui donnent envie de s'asseoir un moment dans la cour pour savourer la douceur de l'air. Elle retire ses chaussures. Aussitôt ses orteils s'ouvrent en éventail, retrouvant enfin la liberté. Pour son premier tour du quartier, elle a choisi des sandales qui ne conviennent pas aux rues pavées et aux escaliers. Elle a toutes sortes de chaussures mais le nec plus ultra, c'est la sandale fine aux talons vertigineux. Ça fait de longues jambes, comme celles des actrices. Elle sait que ses pieds ne les supportent pas et ça la rend folle. Malgré tout quand elle a le trac, pour un rendez-vous important ou une occasion spéciale, c'est plus fort qu'elle, il faut qu'elle soit perchée. Elle a des tongs en plastique rose dans son sac. Quand elle n'en peut plus, elle sort les tongs.

Elle prend une pomme charnue dans le sachet, la frotte contre la manche de son cardigan et mord dedans à pleines dents, en pensant aux fesses de l'homme en Vespa.

*Est-ce qu'une boskoop c'est plus rebondi qu'une golden ?*

Un gros chat, trapu, bas sur pattes, à l'épaisse fourrure brun foncé tirant sur le roux, les yeux ambre, la queue en panache, émerge d'un massif d'hortensias en poussant un miaulement rauque. Un petit lion ! Il traverse la cour d'un air conquérant.

*Le seul mec de la baraque, c'est un chat ! Jean-Pierre ! Je me demande qui lui a donné ce nom ridicule.*

Juliette regarde la façade de l'immeuble couverte de glycine.

*Carla m'a dit qu'elles ont renoncé. Renoncer ! C'est énorme ! Un gros mot ! Pourquoi ? Elles sont folles ? Elles sont nonnes ? Je suis au couvent ? On va me mettre une coiffe sur la tête... j'ai pas une tête à chapeaux... ma mère ça lui va bien... comme les chaussures à talons... c'est beau le pied d'une femme dans la main d'un homme... la main d'un homme... la voix d'un homme... une maison sans rire d'homme... sans chaussettes d'homme dans la salle de bains !*

La fenêtre du troisième étage s'ouvre, une tête aux cheveux gris coupés à la garçonne apparaît.

*Une femme. Forcément.*

Un arrosoir à la main, elle parle aux fleurs en leur donnant à boire. Elle baisse les yeux, et en souriant, fait un signe à Juliette. C'est Simone.

8

Simone Bazin est arrivée dans l'immeuble un soir
de juin dix ans plus tôt. Elle avait croisé la Reine au
rayon botanique de la librairie du quartier et elles
avaient échangé leurs impressions sur les orchidées du
Japon. La danseuse aimait les terriennes, elles s'étaient
promis de se revoir très vite.

Simone lui avait raconté son enfance heureuse dans
les Vosges. Toute petiote déjà, elle ôtait les limaces
des salades du potager et ramassait les œufs dans son
tablier. Très vite, elle avait commencé à travailler dans
les champs avec ses parents, le Fernand et la Mary-
vonne. L'hiver, après l'école, elle les aidait à donner
le foin aux bêtes. Pas de questions existentielles dans
une ferme ; les plaisirs étaient simples et à portée de
main. Elle poussait des cris de joie avec ses amis en
plongeant les pieds dans l'eau glacée du ruisseau et

elle avait encore dans les oreilles le « clic clic clic » des roues de sa bicyclette, quand elle s'arrêtait de pédaler pour avoir l'impression de planer au-dessus des coquelicots.

Dans son village de mille quatre cent trente-sept habitants, la vie était routinière, tout le monde connaissait tout le monde et on était couché à huit heures du soir. Les vaches, ça ne rigole pas, c'est debout tous les jours à cinq heures.

À vingt-trois ans, elle avait pris le train pour la première fois. Dès son arrivée à la gare de l'Est à Paris, elle avait été bombardée : les sans-abri couchés par terre dans des cartons, les néons des enseignes, les taxis, la saleté, les klaxons, la foule compacte habillée en noir. Des colonies de fourmis dans le métro et sur les trottoirs, des cinémas et des cafés ouverts à toute heure. Seule la pluie lui semblait familière. L'odeur de la forêt lui manquait et elle avait la nostalgie des grands espaces. Mais la vie difficile de ses parents, ce n'était pas pour elle.

Après avoir travaillé quelques mois au Cercle des voyageurs où elle servait des cafés et des mauvaises quiches toute la journée, elle avait rencontré un groupe d'Uruguayens. Elle s'était assise avec eux et ils avaient parlé de leur pays, montré des photos de collines et de plaines. Elle n'avait pas dormi de la nuit. Une Vosgienne, ça ne court pas facilement le monde. Elle avait reçu une adresse à Montevideo, c'est ce qui l'avait décidée. Elle était partie, seule, avec un sac à dos bien rempli, sillonner l'Uruguay et l'Argentine. Secouée dans des tacots poussiéreux et des trains bondés, troquant son aide dans les fermes contre un lit et des repas, elle s'arrêtait au gré d'un paysage, de rencontres. Elle partageait ses bons plans avec ceux qu'elle croisait le temps d'un trajet en bus et ils se quittaient en échangeant des adresses, qu'elle notait à la suite les unes des autres dans un carnet.

Cette vie loin de la France avait duré cinq ans et demi. Elle était revenue à Paris avec son plus beau souvenir dans les bras : Diego ! Son fils adoré, conçu sur une botte de paille avec un gaucho rencontré dans une hacienda. Le gaucho apprivoisait les chevaux sauvages. Simone faisait pousser le maïs et s'occupait des poules. Elle aimait la pampa et son beau cavalier. Elle croyait à ce trio improbable. À cet amour, insolite, mais qui lui donnait une confiance sans limites dans l'avenir. Elle avait cru fonder une famille. « L'amour donne des ailes. » C'est ce que disait sa grand-mère vosgienne. « Tu verras ma petite, quand on trouve sa moitié, on n'a plus besoin de rien. » Soixante ans de mariage, ça donne de belles certitudes.

Mais voilà, le retour de manivelle était inscrit quelque part. Il avait été d'une affligeante banalité, son retour de manivelle : un soir de septembre, elle était rentrée plus tôt que prévu à la maison et elle avait trouvé son gaucho chevauchant une jeune Anglaise, plus jolie, le corps moins alourdi par les kilos qui lui étaient restés après l'accouchement. Le petit Diego faisait rouler des voitures miniatures sur le plancher de la pièce voisine. Simone n'avait pas réfléchi. Elle n'avait pas pleuré. Pas même un cri. Pas de scène. Pas de rage. Rien. Juste le silence. Une consternation qui l'avait clouée au sol. Dans l'avion qui les ramenait en Europe, elle cachait son désarroi à son fils, en lui racontant des histoires de cow-boys qui domptaient les chevaux, que le petit écoutait avec ravissement sans vraiment les comprendre.

Une bonne maîtrise de l'espagnol lui avait permis de trouver un travail de traductrice dans une revue touristique. Désormais le sens de la vie, ce serait un jour à la fois, un pas après l'autre, comme quand, enfant, elle grimpait sa montagne. Elle ne s'en laisserait plus conter par le premier hidalgo venu. Et avec le temps, elle avait choisi de ne plus faire semblant. De ne plus s'adapter à ceux qui ne lui convenaient pas. D'être heureuse autrement.

Les années avaient passé. Diego allait souffler vingt-trois bougies, c'était le bon moment pour un fils de se séparer de sa mère. L'appartement du troisième étage se libérait, elle avait saisi l'occasion pour entrer dans l'immeuble. Elle connaissait les interdits imposés par la propriétaire et elle était prête à les respecter, mais c'est le cœur gros qu'elle avait emménagé sans Diego. Après toutes ces années à deux, personne à qui raconter sa journée, personne pour qui cuisiner. Personne à gâter, à aimer.

Petit à petit, elle avait fait son nid. Entre ses conversations avec la Reine, son plant de cannabis – qu'elle couvait comme un enfant, attentive à chaque étape de sa croissance – et ses livres éparpillés dans son salon. C'est à cette époque que Jean-Pierre était entré dans sa vie. Ça la confortait dans sa décision. Pas d'homme, pas de risque de couple qui casse. Elle n'aurait pas supporté de partager son chéri poilu une semaine sur deux.

Aujourd'hui, à cinquante-neuf ans, elle continue à traduire des articles. Grande, bien campée sur ses deux jambes, elle porte un pantalon droit, une chemise masculine et des baskets qui ont été bleues, il y a longtemps. Cheveux courts, pas maquillée, parfumée au savon de Marseille, des pattes-d'oie au coin des yeux, preuve qu'elle sourit souvent.

Une bonne odeur de patates sautées au lard, de tarte aux myrtilles ou de pain cuit s'échappe toujours de la porte entrouverte de son appartement, comme pour dire : « Entrez, venez croquer un bout, admirer Jean-Pierre, parler de petits riens, fumer un pétard si le cœur vous en dit. »

Tous les jeudis soir, elle devient tour à tour Marie-Madeleine nettoyant les pieds de Jésus, joué par

Roland, un comptable chauve d'extrême gauche et même un jour Barbie, la femme de Ken, interprété par Jacques, l'employé de la Mairie, un petit blond effacé à lunettes et dents de lapin. Elle a découvert l'improvisation théâtrale.

9

C'est dimanche. Simone monte au quatrième étage, son lion sur les talons, et passe la tête par la porte entrebâillée de l'appartement de Rosalie.

Rosalie Labonté… Il y a des gens dont le prénom colle à merveille à leur personnalité. Elle, c'est son nom qui lui va comme un gant.

On la trouve souvent les yeux fermés, en demi-lune ou en sauterelle. Le sphinx, le cobra royal ou le museau de la vache – ce qui fait beaucoup rire Simone – n'ont pas de secrets pour elle. Aussi à l'aise sur la tête que d'autres sur leurs deux pieds, elle dit que ça remet tout en place. Les idées surtout.

Rosalie est professeur de yoga. Elle donne quelques cours par semaine à des comédiens, des artistes et des gens du quartier. Mais la plus grande partie de son temps, elle le consacre à une association qui s'occupe de jeunes enfants difficiles. Rosalie préfère dire

« agités, bouleversés, très vivants ». Elle pense souvent à eux. Et plus particulièrement à Lina qui, à sept ans, ressemble à une adulte fâchée, avec ses sourcils toujours froncés. « Quand on est en colère ou triste, les pensées se transforment en marsupilamis bondissants », leur raconte Rosalie de sa voix douce. Elle apprend à ses petits élèves à respirer lentement. Parfois ils s'apaisent un peu.

— Tu fais quoi ?

Rosalie se retourne. Simone se dit une fois de plus qu'elle ressemble à une jolie biche blonde, avec sa peau claire et ses grands yeux bleus. Une biche frileuse, enveloppée dans deux immenses châles, orange et rouge, superposés.

— Rien.

— Je peux faire rien avec toi ?

— Entre. J'ai préparé du thé.

— On a droit à quel délice aujourd'hui ?

— *Mille sourires...* un mélange d'ylang ylang, d'écorces de mandarine et de gingembre, avec de la citronnelle, de la vanille et des pétales de mauve. Une merveille !

Simone s'affale dans un fauteuil, regarde par la fenêtre.

— C'est la mousson !

— T'as raison, on est mieux à l'intérieur.

La tête ébouriffée de Juliette apparaît dans le chambranle de la porte.

— Je vous cherchais. C'est quoi le programme ?

— On attend le beau temps.

— « La terre est lente mais le bœuf est patient », déclame Simone.

— Tu as une mine en accent circonflexe, observe Rosalie.

— *Sunday blues.*

— J'te roule un pétard, ma poule ? lui demande Simone.

— J'préfère pas. J'ai peur de l'atterrissage. T'as pas un peu de musique, Rosalie ?

*Autre chose que des chants tibétains.*

— J'ai des chants tibétains.

— Je vais aller nous chercher un truc… Barry White, ça va nous réchauffer.

Juliette a pris l'habitude de partager les dimanches après-midi chez l'une ou l'autre. Ces jours-là, elles traînent ensemble dans un des appartements en attendant d'aller dîner chez la Reine au cinquième étage. L'une bricole, une autre lit. On médite, on joue aux cartes et on fait des confitures.

Chez Rosalie, tout est calme et apaisant. Les murs blancs, le bonsaï, les cartes postales alignées le long de la cheminée.

— Sydney, Bornéo, Luang Prabang, énumère Juliette. Tiens ! Y en a une nouvelle.

— San Pedro d'Atacama, dit doucement Rosalie.

— C'est haut, quatre mille cinq cents mètres !

— C'est loin, quatre mille kilomètres !

Dans une niche, un bouddha en bois sourit. Devant lui, des pétales de fleurs, une bougie allumée, de l'encens parfumé au santal.

— Il dit quoi Bouddha, ici et maintenant ?

— Il dit : « Laisse aller ce qui part, accueille ce qui vient. »

Jean-Pierre, affalé sur la confortable poitrine de sa maîtresse, ronronne d'aise comme si elle était le plus accueillant des radiateurs.

— Jean-Pierre, baisse le volume, on n'entend plus Barry White.

Il dresse une oreille, enfouit son museau plus profondément dans la laine et repart de plus belle.

— C'est simple une vie de chat, soupire Juliette.

— Moi, je voudrais être Jean-Pierre dans une prochaine vie, ajoute Simone.

— Il faudra d'abord régler tes karmas, chuchote Rosalie.

— À propos de karma, vous avez entendu à la radio le glissement de terrain à cent cinquante kilomètres de New Delhi ?

— T'inquiète ma poule, Carla n'est pas dans ce coin-là.

— *Vita di merda !*

— Ah ! Te voilà, Giu. Tu tombes bien, l'évier est bouché, tu vas pouvoir m'aider.

— *Porca miseria !* Je n'ai presque rien vendu et en partant, j'ai crevé un pneu. Maurice, le type qui vend des soupières sur le stand à côté, m'a dépannée.

— Bois d'abord un thé, suggère Rosalie, ça va te détendre.

— T'aurais pas un coup de rouge ?

— C'est un peu tôt pour le vin. Je te mets une cuillère de miel ?

— D'après Einstein, si les abeilles venaient à disparaître de la surface du globe, l'homme n'aurait plus que quatre ans à vivre.

— Quatre ans ! Faut profiter de chaque instant !

Juliette les filme avec son portable.

— Tu ferais quoi, toi, Rosalie, si tu savais qu'il restait quatre ans, peut-être moins ?

— J'apprendrais à piloter un avion.

— Et toi, Giuseppina ?

— *Vendetta !*

*J'ai dû louper un épisode, faudra que je demande à Rosalie de me raconter.*

Elles sont assises, tasses en main, entre coussins, pouf et canapé. On entend des applaudissements et des « bravos ». Rosalie lève les yeux vers le plafond.

— Ça m'inquiète qu'elle reste enfermée là-haut.

— Elle va de temps en temps sur sa terrasse, regarder le ciel.

— Elle ne parle à personne.

— Si, aux bambous… et à nous.

— Je n'aime pas la voir comme ça.

— Comment ?

— Fragile. Une reine en fin de règne !

Rosalie se tourne vers Juliette.

— La première fois que tu l'a vue, elle t'a fait son grand numéro « mille hommes, mille étincelles » ?

— Elle m'a offert un nectar de poire. Elle m'a raconté des histoires.

— C'est tout ce qui lui reste, rejouer sa gloire passée.

— Avant, ses apparitions étaient toujours mises en scène, magnifiques. Les hommes attendaient le cœur battant qu'elle leur accorde un de ces rares moments.

— Maintenant, elle fait la grande dame avec son règlement et ses attitudes autoritaires, mais c'est parce qu'elle ne supporte pas de vieillir. Elle ne peut pas admettre la défaillance de son corps qui a toujours été son allié et son atout. Elle ne veut pas être démasquée, elle se cache.

— Au point d'interdire les hommes dans l'immeuble ? demande Juliette.

— Elle ne veut plus en croiser parce qu'elle ne peut plus les séduire et elle ne veut pas voir de femmes vivre ce qu'elle ne peut plus vivre.

— Elle est encore belle.

— Le jour où la doctoresse lui a annoncé qu'elle avait une poly... rhumato... arthrite...

— Une polyarthrite rhumatoïde.

— C'est ça. Elle est sortie du cabinet de consultation, elle a été boire un café et elle a pris une décision : ses amants ne seraient plus que des souvenirs.

— Elle ne quitte plus son appartement.

— Peu à peu, ses articulations se sont raidies, ses jambes n'obéissaient plus comme avant, ses mains se déformaient et puis la douleur est arrivée. Elle ne veut pas déménager. Elle préfère vivre dans les nuages avec les bambous.

*Ça ne va pas s'améliorer. Il faudra l'aider. Je reviendrai.*

Elles restent silencieuses. Rosalie ressert du thé, apporte des amandes et des dattes.

— On a quand même beaucoup de chance de vivre ici ensemble.

— Elle n'a pas de nom, cette maison ? demande Juliette.

— De nom ?

— Ben oui, un nom, comme les maisons au bord de la mer : Hirondelle, Sans Souci, Samsara…

— On a déjà cherché.

Elles avaient passé des dimanches le nez dans le dictionnaire, à échanger leurs expressions d'adolescentes et les titres de leurs romans préférés. Elles n'avaient pas trouvé.

— Finalement c'est la maison de la Reine, dit Juliette. La danseuse étoile… La Reine Céleste…

— Celestina… Casa Celestina, hasarde Giuseppina.

— Céleste, ça veut dire béatitude. Celestina, ça me plaît, dit Rosalie. Simone… Casa Celestina ?

— Si.

— Juliette ?

— J'adore.

— Giu ?

— Évidemment ! C'est moi qui l'ai trouvé.

*Presque.*

— Adopté à l'unanimité !

— Dites, les bienheureuses, la cage d'escalier a besoin d'un coup de neuf. Il nous faut un peintre, dit Rosalie.

— UNE peintre ! rectifie Giuseppina.

— Monsieur Barthélémy m'a arrêtée l'autre jour dans la rue pour m'expliquer que le mot électricien n'avait pas de féminin, pas plus que pharmacien. La pharmacienne, c'est la femme du pharmacien, a-t-il ajouté, très content de sa démonstration. Je ne lui ai pas dit que dans le *Larousse*, ça avait changé depuis dix ans.

— Qui connaît un peintre femme ?

— Ou alors un retraité.

— Pourquoi retraité ? Pourquoi vieux ? s'exclame Juliette.

*Un jeune, un beau, qui va venir en salopette et en marcel, qui va monter sur les échelles, qui sentira la peinture mais qui sentira aussi l'homme, qui me demandera mon avis sur la couleur, qui mettra trois couches à mon étage.*

— Ça suffit, Juliette ! Quand tu sauras, tu renonceras aussi. En attendant, si tu veux rester, faut accepter la règle.

— Pour la Reine je comprends, mais vous, pourquoi vivez-vous dans un immeuble défendu aux hommes ?

— Quand on se met au régime, on ne va pas s'installer dans un magasin de pralines !

— C'est donc un régime ? demande Juliette.

— On n'a pas renoncé à l'amour.

— C'est très beau l'amour, le véritable amour.

— On a renoncé à l'espérance folle de le vivre.

— Aux montagnes russes.

— À la polygamie.

— À vouloir rapprocher le pôle Nord et le pôle Sud.

— Au bricolage quotidien, à recoller mille fois les morceaux.

— À perdre la raison quand on découvre que l'autre n'est pas celui qu'il faisait semblant d'être.

— À se diluer, se contorsionner, se rogner les ailes pour plaire.

— À se laisser rouler dans la farine pour une caresse, un mot doux.

— À devenir pathétique.

— À perdre tous ses neurones et rester accro à une relation toxique.

— On ne peut pas se protéger en amour.

— La seule protection, c'est l'abstinence !

*ELLES SONT FOLLES !*

— Parce qu'on vous a empoisonnées, vous faites la grève de la faim.

— Je ne fais pas la grève de la faim, Juliette, déclare Simone : je choisis un autre menu.

— Vous avez renoncé trop vite. Il y a trois milliards cinq cents millions d'hommes sur terre. Je ne comprends pas votre obstination.

— Personne ne comprend. Surtout les mecs. Ils ne supportent pas l'idée qu'on puisse se passer d'eux. L'immeuble de femmes qui ont renoncé aux hommes : ils n'y croient pas ou alors ils s'imaginent qu'on est frigides ou qu'on a cent ans et du poil au menton.

— J'espère qu'à cent ans un homme aura encore envie de moi, rêve Juliette.

— Si toutes les femmes désertaient, ce serait la mort des machos ! proclame Giuseppina. *Finito ! Basta !*

— Mais vous remplacez l'amour par quoi ?

*Rien ne remplace l'amour !*

Elles se taisent toutes les trois. On pourrait presque penser que chacune laisse à l'autre le soin de la réponse. Au moment où Juliette croit avoir enfin marqué un point, Simone la regarde droit dans les yeux.

— On ne remplace pas l'amour. On remplace les illusions, l'attente, les turbulences, la dépendance, les déceptions, les thérapies de couple, le rien, par des choses agréables, à portée de main, qui ne disparaîtront pas au premier coup de vent, à la montée de sève, au printemps.

Juliette reprend une datte.

— Vous remplacez l'amour par des ateliers de poterie et des longueurs de piscine ?

— Un univers insoupçonné de béatitude !

— Une vie sans hommes, c'est une vie sans sel, sans sucre, sans piment, sans miel. C'est comme ça et vous ne le changerez jamais, s'obstine Juliette.

Simone se lève, va à la fenêtre et murmure une phrase incompréhensible.

— Qu'est-ce que tu as dit Simone ?

— « Le bonheur est une petite chose que l'on grignote assis par terre au soleil. »

Juliette prend une dernière datte. Elle se dirige vers la porte, se retourne.

— Un jour vous allez regretter. Quand vous serez bien vieilles au coin du feu et qu'il vous manquera une main à tenir.

## 10

Rosalie ramasse machinalement les tasses. Elle les lave, les rince, les relave. Elle est ailleurs, avec François, dans sa vie d'avant.

Tout leur réussissait. On les applaudissait. On les enviait même. La dream team : le directeur créatif et la commerciale. Elle vendait, à des clients obsédés par la courbe de leur chiffre d'affaires, des campagnes qu'il imaginait pour convaincre les consommateurs crédules de la supériorité de leurs produits. Ils gagnaient des compétitions, des budgets, des parts de marché. Ils parlaient stratégie, rétroplanning, cœur de cible. Ils incarnaient la réussite et la performance. Ils avançaient au même rythme. Leurs noms toujours liés : « Rosalie et François », comme une marque déposée.

Cinq ans plus tôt la vie de Rosalie avait basculé.

Ce jour-là, assise dans sa cuisine, elle roulait des sushis en écoutant Henri Salvador, un sourire heureux au coin des lèvres. « Une chanson douce que me chantait ma maman... » Les paroles lui rappelaient sa chambre de petite fille, le rituel du soir : le verre de lait chaud parfumé à la fleur d'oranger et cette berceuse qui la menait doucement au sommeil.

François était entré sans faire de bruit et avait posé ses larges mains sur les épaules de sa femme. Le corps de Rosalie avait reconnu ces mains et s'était laissé aller au contact de leur chaleur. Mains protectrices, tendres, caressantes, qui savaient les cachettes où se nichait son plaisir.

— Je chanterai cette chanson à nos enfants, avait-t-elle murmuré.

François n'avait rien dit. Henri Salvador avait continué sa chanson douce.

— On en aura trois !

Tout à coup elle avait presque crié. C'était venu de loin et c'était sorti d'une traite.

— Trois ou quatre, en tous cas trois : Flore, Benjamin, Ariel...

Les mains de François s'étaient crispées. Elle avait senti leur pression qui écrasait ses épaules, comme un oiseau qu'un idiot aurait serré trop fort pour le retenir. Elle avait voulu se lever mais les mains l'immobilisaient. Elle avait ri nerveusement, s'était libérée, avait cherché une cuillère dans le tiroir, pris un verre dans l'armoire, laissé couler l'eau froide, longtemps. Elle avait bu à petites gorgées.

Il l'avait rejointe près de l'évier et l'avait embrassée dans le cou.

— Si on n'allait pas à ce dîner, si on restait tous les deux ? Allons sous la tente.

Elle n'avait pas envie de la tente ce soir-là, elle n'avait pas envie de partager des secrets enfouis sous la couette, elle avait envie d'ouvrir toutes les fenêtres.

— J'ai des choses à faire, laisse-moi.

Il s'était éloigné et elle l'avait entendu dire d'une voix métallique au téléphone.

— On ne va pas pouvoir venir, j'ai pris froid, une autre fois.

Il était resté dans son bureau au bout de l'appartement, s'imaginant enfermé dans cette vie avec enfants : les céréales au chocolat le matin, les cartables alignés, le cadre photo sur la cheminée avec les bambins en anorak et bonnet sur les balançoires. Il se cognait à ces images. Flore, Benjamin et Ariel sur le siège arrière du monospace sept places et elle à ses côtés, enceinte. Ce n'est pas de cette vie-là qu'il rêvait. Pas maintenant. Pas si vite.

Rosalie avait lavé plusieurs fois les assiettes, les verres, les couverts. Elle avait sorti des plats du placard et pendant qu'elle les frottait, la sensation des larges mains qui l'empêchaient de se lever revenait forte et obsédante.

Quand elle s'était couchée, François était déjà au lit, les yeux fermés. Elle savait qu'il ne dormait pas. Sa respiration irrégulière était entrecoupée de soupirs. Ils s'étaient dit bonne nuit sans conviction.

Un cauchemar l'avait réveillée. Elle était dans une salle d'attente. L'une après l'autre, les femmes qui l'entouraient avaient disparu derrière des portes de couleurs différentes. Personne ne venait la chercher. La salle d'attente s'était vidée, elle était restée seule, assise au milieu de la pièce, sur une petite chaise d'enfant. Son ventre rond était énorme.

Le lendemain matin, ils n'avaient parlé de rien. Juste du café qui avait un goût amer. Pendant des jours le souvenir des mains qui l'emprisonnaient avait surgi à des moments inattendus : dans la rue, au cinéma, au supermarché.

Trois semaines plus tard, François s'était envolé.

La dernière fois qu'elle l'a vu, c'était en octobre, le mois de leur anniversaire de rencontre. Elle sait que c'était un dimanche parce que les trois cloches de l'église avaient sonné peu avant son départ. Ils avaient prévu d'aller courir au bois de Boulogne cet après-midi-là. Mais comment était-il habillé ? Elle plisse le nez pour se souvenir. Son grand pull gris à col roulé ou le noir ? Elle ferme les yeux pour essayer de préciser l'image floue et ce qu'il avait dit la main sur la poignée de la porte. À tout à l'heure ? Je vais acheter du pain ? Bye baby ? Je t'aime ? Est-ce qu'il l'avait embrassée avant de partir ? Lui qui savait qu'il la quittait.

Elle avait passé une journée d'angoisse à le chercher partout. Le lundi, elle était à l'agence à sept heures du matin. Là non plus il n'était jamais revenu.

La première carte postale était arrivée en décembre. « Je n'y arrive pas, pardonne-moi. » Cent fois elle l'avait retournée dans tous les sens à la recherche d'un indice, même minuscule. Rien, à part le timbre australien. Un tambour fou assenait des coups dans sa poitrine. Elle était partie seule aux urgences. Les médecins lui avaient dit d'un air grave que son cœur battait à deux cent quarante-sept pulsations minute. Ils avaient parlé d'une maladie de Bouveret, d'un fil électrique à sectionner pour éviter que ça se reproduise. Elle, elle savait que si son cœur avait piqué un sprint, c'était pour essayer de rattraper la moitié de « Rosalie et François » qui s'enfuyait et que s'il y avait un fil à sectionner, il ne s'appelait pas Bouveret. Ils n'étaient plus sur le même tempo.

À l'hôpital et pendant sa convalescence, elle s'était rappelé la jolie coutume que sa belle mère lui avait transmise : « N'oublie pas de dire souviens-toi de la maison et de jeter de l'eau aux pieds de ceux qui partent en voyage. Pour qu'ils reviennent sains et saufs, avait-elle ajouté. »

Elle avait souvent jeté de l'eau. Pas le dimanche d'octobre où il l'avait quittée. Il n'y avait pas de raison, il allait revenir dans cinq minutes.

Une fois son cœur revenu à un rythme normal, l'ancienne Rosalie avait disparu. La nouvelle aspirait à une autre vie. Une autre cadence. Oublier François. Recommencer ailleurs. Sans lui. Sans ses mains sur ses épaules. Elle avait fait une croix sur leur duo, sur le père idéal qu'il incarnait et sur ce qu'elle voulait de toutes ses forces : une ribambelle d'enfants avec lui.

Elle avait vu l'annonce : « Appartement de charme, dans joli immeuble du quartier, cherche UNE locataire. » Alors, à trente-deux ans, elle s'était installée dans l'immeuble des femmes qui ont renoncé aux hommes.

Elle était venue avec rien dans les mains ou presque. Elle avait laissé derrière elle ses écrans plasma, ses tablettes, ses smartphones, ses messageries, ses « vous pouvez me joindre 24 h/24 » et « je vous rappelle dans les cinq minutes », ses réseaux et ses connexions.

Les femmes de l'immeuble l'avaient accueillie et lui avaient offert une existence différente. Il y avait une piscine à proximité. Elle avait pris l'habitude de nager chaque matin. On lui avait conseillé le yoga. Elle, aussi raide que ses certitudes, était devenue souple. Carla l'avait initiée à la méditation. Puis Rosalie avait eu envie de transmettre ce qu'elle avait appris. Et petit à petit elle avait recommencé à sourire.

*

Cinq ans plus tard elle aime se promener en silence dans les jardins japonais. La perfection des courbes, les arbustes taillés à la pince à épiler, la chanson de l'eau qui coule sous les ponts en bois, les boules de buis de formes différentes, tout l'apaise et l'enchante. Elle voudrait découvrir le bout du monde autrement que par cartes postales mais aucun de ses mantras ne l'aide à surmonter sa peur phobique de l'avion. Elle aime surtout l'idée que l'immeuble des femmes n'est pas loin.

## 11

Giuseppina monte l'escalier familier en traînant sa patte folle. Elle connaît par cœur le bois foncé dont l'usure arrondit les marches et le trait de lumière sur le mur gris, quand il fait beau à cette heure de la journée. Sur le palier du deuxième étage, elle croise Jean-Pierre, qui la salue d'un long miaulement, fait demi-tour et la précède d'une marche. Combien de fois a-t-elle grimpé cet escalier pour partager un bol de soupe, un dimanche de pluie, dix minutes dans le canapé de l'une ou l'autre ? Elles appellent ça « l'amitié à portée de pantoufles ».

Vêtue d'une tunique rose, d'un châle et d'un pantalon souple, Rosalie, pieds nus, est assise dans un lotus parfait, comme si elle avait fait ça toute sa vie. Ses deux mains reposent l'une sur l'autre, paumes tournées vers le ciel. Du regard, elle invite sa voisine à prendre place en face d'elle. Giuseppina peine à trouver une position qui lui convient, s'appuie sur une fesse, essaye l'autre, finit en équilibre instable. Jean-Pierre, très à l'aise dans la posture du chat, semble sourire de sa maladresse.

Chaque fois qu'elle la voit boiter ou avoir mal, Rosalie pense à l'accident. Il pleuvait. Giuseppina, enceinte de cinq mois, avait freiné pour éviter une passante qui traversait sans regarder. Aquaplaning. La distraite était indemne mais quand on avait retrouvé Giuseppina inconsciente, seul son ventre, qu'elle protégeait de ses mains, était intact. De la fracture de la hanche, il lui était resté cette démarche disgracieuse. D'après les médecins, elle était guérie. C'est dans sa tête qu'il restait des séquelles. Elle, elle prétendait que c'était un rappel. Ainsi, à chaque pas elle se souvenait qu'elle était miraculée. Elle avait appelé sa fille Fortuna : la chance. À la sortie de l'hôpital, son mari, son père et ses frères avaient récupéré l'enfant, prétextant qu'elle ne serait pas capable de s'en occuper. Une mère qui part travailler à cinq heures du matin et qui marche de travers !

Giuseppina ne parlait presque jamais de Fortuna. Elle ne la voyait qu'aux vacances, en Sicile, chez les tantes. S'ils y consentaient. Elle s'était battue. En vain ! Les hommes étaient plus puissants que son amour maternel.

Chaque année, le 11 avril, jour de la naissance de Fortuna, elle marche, clopin-clopant, pendant des heures, puis elle boit jusqu'à ce qu'elle s'endorme épuisée. Cachée sous son matelas, la seule photo qu'elle possède de sa fille. Elle la regarde parfois. Pas trop souvent.

— Tu sais, les pensées, c'est comme des insectes. Quand tu les entends voler, reviens à ta respiration. Il y a une oasis à l'intérieur de toi, elle attend que tu viennes t'y reposer, te défroisser, lui dit Rosalie.

— Je vais essayer de penser à ne pas penser, marmonne Giuseppina.

— Rien ne remplace la pratique quotidienne, sur le tapis tous les matins, avant de commencer sa journée.

— *Alle cinque del mattino ?*

— Ferme bien les vitres et profite des embouteillages pour faire quelques respirations.

— Rosalie, j'ai une crampe !

— Concentre-toi sur la douleur. Envoie un message de détente à l'endroit qui se crispe.

— Message pas arrivé… facteur en grève !

— Allez, c'est fini pour aujourd'hui.

Giuseppina se relève cahin-caha, fait quelques pas hésitants, s'arrête devant une photo.

— C'est le jour de ton mariage ?

Une couronne de fleurs dans les cheveux, Rosalie et François rient, pieds nus dans l'herbe.

— C'était, murmure Rosalie.

76

— Je n'oublierai jamais ma nuit de noces ! *La prima notte di nozze…*

— Il était comment ton mari ?

— Sicilien. Fatalement !

Dans cette famille où les hommes décident de tout, le mari avait été choisi par Tiziano, Angelo et Fabio et imposé par Marcello : « Tu épouseras Luigi. »

Ils n'allaient pas faire la même erreur qu'avec sa cousine Bettina qu'on avait laissée se promener seule et qui s'était acoquinée avec un bon à rien napolitain.

Son père avait fait venir les parents du garçon à la maison, fixé une date avec eux, organisé une grande fête pour faire savoir à tous qu'il avait une fille vierge et qu'on la mariait.

— Il était beau, Luigi ?

Giuseppina fait une grimace.

— Un petit trapu avec des jambes arquées, une bouche pulpeuse, des poils bouclés sur les fesses et les cuisses. Orribile !

Rosalie pense à François. Déjà, elle aimait son prénom. Puis il y avait ses mains tendres et caressantes, son parfum poivré-citronné, ses épaules, son rire… Elle aimait tout chez François.

— Le jour de notre mariage, poursuit Giuseppina, il y avait tous les amis de Luigi, les italiens et les espagnols. Tous devant la télé, dans un coin de la salle des fêtes, à regarder le foot. Luigi était fébrile, se relevait, tournait en rond, se rasseyait.

Elle, elle avait trouvé ça touchant, la fragilité d'un macho avant la nuit de noces. Lui, c'est l'attente du résultat du match qui le rendait nerveux.

— Pendant les photos et les discours, avant de découper le gâteau, au moment de la première danse, les autres invités demandaient : « Il est où le marié ? »

— Ben oui, il était où ?

— Toujours devant la télé. C'était le 3 juillet 1990, demi-finale de la coupe du monde, Italie-Argentine. Alors tu penses s'il était occupé, le marié !

— Moi aussi, c'était l'été, poursuit Rosalie, rêveuse. Le 23 juin. Ce jour-là j'ai dit oui pour la vie.

— Une fois tout le monde parti, mon nouveau mari a baissé le pantalon de son costume de location et sorti sa queue de sa forêt noire bouclée. Il m'a prise, devant la télévision, en regardant au-dessus de ma tête la rediffusion des occasions manquées. Il criait : « *Daï Totò daï !* » Totò c'est Salvatore Schillaci, le buteur de Palerme.

Giuseppina n'avait pas bougé.

Luigi avait pensé qu'elle aimait ça.

— Mais c'était la première fois ?

— On se donne à un seul homme chez les Siciliens. Quand il y a du sexe à la télévision, les parents changent de chaîne ou envoient les filles dans leur chambre. Même à dix-huit ans ! J'ai d'abord été mariée et puis j'ai découvert la vie. *Vita di merda !*

— Et après, il est devenu tendre ?

— La Coupe du monde, ce n'est que tous les quatre ans mais il a continué à me prendre de la même façon au quotidien. Je n'osais rien dire mais j'aurais préféré regarder Zucchero chanter sur la Rai.

Rosalie se souvient de sa nuit de noces, si différente, si douce. François avait bien fait les choses, jusqu'aux bougies à la cannelle qui embaumaient la chambre. Rosalie adorait la cannelle et il le savait.

— Tiens, prends un peu de thé Giu, ça fait du bien.

— Arrête avec ton thé ! C'est pas magique, le thé !

Rosalie lui sourit.

— Si tu ne veux pas de thé, je te fais un jus : betterave rouge, pomme, citron, gingembre. Viens dans la cuisine.

— Quand mon père est mort, j'ai quitté Luigi, poursuit Giuseppina pendant que son amie presse un citron.

— Adieu les hommes ?

— *Viva la libertà !*

Rosalie relève la tête.

— Tu as rencontré quelqu'un d'autre ?

— Beaucoup d'autres. Aucune magie. *Niente !*

Il y avait eu le maniaque qui pliait son pantalon sur la chaise avant de lui arracher son chemisier. Un autre avec sa valise de représentant. Les boules japonaises, l'œuf à trois vitesses télécommandé à distance, le vibromasseur clignotant incrusté de faux diamants qui chantait, au choix, *Le Lundi au soleil*, *L'Avventura* ou *Pour un flirt avec toi*, il voulait tout lui faire essayer.

Un autre encore désirait intensément une relation platonique et croyait qu'à son âge elle avait fermé boutique, tout en espérant qu'elle accomplirait le miracle de réveiller sa libido endormie depuis des années. Il ne l'avait pas prévenue, double panne : vigueur et vérité !

— C'était toujours pareil. Ils tripotaient mes seins, transpiraient, soufflaient. Ça durait des heures. Je faisais l'étoile de mer en attendant que ça passe. Et toi Rosalie, ça te manque ?

— C'est loin tout ça, on retire la prise et très vite on n'y pense plus. Le corps est au calme. Et toi Giu ?

— Quand on me demande si j'ai refait ma vie, je réponds : oui, j'ai refait ma vie. En mieux ! Sans hommes !

\*

Giuseppina aime flâner seule et capturer des scènes quotidiennes avec un vieil appareil récupéré sur une brocante. Elle a trouvé sa place dans cet immeuble, dans cette « famille de bras cassés qui se font du bien », dit-elle. Comme une douceur de l'existence venue un peu tard, à laquelle elle se laisse aller sans trop résister.

## 12

Juliette arrive essoufflée au studio. Dans son repaire sombre sans fenêtres, des boîtes rondes en aluminium, souvenir de l'époque des bobines de films, sont empilées sur une étagère. Un vieux numéro de *Libération* traîne sur un fauteuil. À la une, un magnifique portrait en noir et blanc de Paul Newman, intitulé : « Dernier regard ».

Un de ses prédécesseurs, admirateur de Shakespeare, a écrit sur le mur : « La nuit, c'est la preuve que le jour ne suffit pas. » Ils se confondent souvent pour Juliette. Captivée par les images, elle leur insuffle un rythme, une densité, une intention. Inlassablement, elle va refaire le puzzle à plusieurs possibilités, choisissant où commencer et terminer chaque plan, au vingt-quatrième de seconde près. Aujourd'hui un homme et une femme, face à face. Il la prend dans ses bras. Juliette se surprend à ne pas interrompre la scène. Dans son studio, elle a un pouvoir fou sur les émotions. Dans sa vie, ce n'est jamais comme ça que ça se passe.

Un petit brun baraqué passe la tête par la porte entrouverte. Max ! Président de son fan-club, frère de cœur, famille à lui tout seul. Et monteur dans le studio à côté. Il la trouve en train de soupirer, la main figée sur la souris. Arrêt sur l'image du couple enlacé.

— Toi, tu as besoin d'amour comme de pain !

Juliette acquiesce en faisant la moue. Max reconnaît la couverture du livre *Le Judaïsme pour les nuls* qui dépasse de son sac. Elle en lit souvent des passages, espérant y trouver un écho, un lien, un fil : Shabbat, Shalom, Shana Tova… Elle s'y perd moins quand elle regarde *La Vérité si je mens*. Elle l'a vu sept fois. Parfois elle laisse ses questions se reposer.

— Tu révises ?

— Te moque pas de moi. Je t'ai déjà raconté tout ça, je me sens appartenir à cette communauté. Même si la seule mère juive qui clame que l'instinct maternel, ce n'est pas automatique – la preuve elle ne l'a jamais eu –, c'est la mienne.

— C'est pompant, les mères juives.

— La mienne n'est pas pompante, elle est inexistante. Peut-être que si j'avais été un garçon, ça se serait passé autrement.

— Elle aurait fait un concours de fils avec les autres mères juives.

— Ça me plairait, moi, d'avoir une mère qui m'envahisse, une mère qui me gave, une mère qui me téléphone trois fois par jour. Une mère qui soupire, s'inquiète, culpabilise, pousse de vibrants « oïch oïch » et vante mes qualités à un bon garçon juif. Ça me plairait de m'appeler Esther ou Rachel et pas Juliette parce que l'employé d'état civil a choisi au hasard sur le calendrier. Ça me plairait d'avoir un nez reconnaissable de loin comme une marque irréfutable que j'appartiens à la grande famille.

— Oui, mais tu t'appelles Kazan. Et porter le nom du réalisateur de *À l'est d'Éden*…

Juliette l'interrompt.

— Ça ne met pas James Dean à mon bras ! Et les Juliette en amour, elles n'ont pas un destin facile. Pas de Roméo en vue. Le film de ma vie c'est « Chronique d'un fiasco annoncé ».

— J'adore ton sens de la nuance.

La famille, c'est un sujet délicat pour Juliette. Max le sait. Une terrible erreur d'aiguillage l'a fait naître dans celle-là. Ses parents se sont toujours regardés au-dessus de sa tête. Une fille unique sans piédestal. La maltraitance a pris chez eux une forme particulière, la négation de son existence à elle. Des juifs négationnistes de leur enfant ! Max sait la place immense que prend ce manque et il s'étonne toujours que Juliette soit debout, qu'elle ait cette force de vie, cette autodérision, qu'elle rie. Il l'adore, sa petite sœur de cœur. Il ne comprend pas comment l'association diabolique de deux pathologies a pu produire une aussi belle personne. Pourquoi ces gens-là ont-ils fait un enfant ?

Son père l'avait conçue comme un projet, comme un objet. Le résultat n'était pas à la hauteur de ses espérances. Pas performant. Pas adéquat. Il avait voulu la façonner, la formater. Il lui donnait de l'argent pour chaque kilo perdu, l'obligeait à s'habiller en rouge, décidait de ses amis, voulait lui imposer des études, des hobbys, une façon de penser. Puis, comme la pâte à modeler lui résistait, il s'en était désintéressé. « Décevante », disait-il, « Ne vaut pas la peine, pas aimable. » Sa mère était au service de cet homme : une machine à satisfaire ses désirs. Elle lui avait offert l'enfant comme une chose, ne l'avait jamais regardée, jamais touchée. La chose l'encombrait. Elle était la groupie de son mari et l'aduler, le captiver, le cajoler, affûter ses atouts pour lui plaire, l'occupait à plein temps. « Dans la fusion avec ton père, il n'y a pas de place pour un élément extérieur », avait-elle dit à Juliette un jour où sa fille avait osé l'interroger à ce sujet. « Quand il n'est pas là, je suis perdue. C'est ma seule famille. » Juliette n'avait plus jamais rien demandé.

Alors Max veille sur Juliette, il donne sans compter et il essaye de la distraire quand elle plonge. Le temps d'un regard, il s'est demandé, un jour, si une histoire de frère et sœur de cœur pouvait devenir une grande histoire d'amour. La réponse fut non. Et ils savent tous deux que c'est ce qui fait que leur amitié tient le coup, qu'elle durera toujours.

— T'as pas l'air très concentrée sur ton travail, dit-il.

— T'as raison, je vais plutôt m'occuper des scènes cultes, je n'ai pas encore tout choisi.

— J'ai plus trop de boulot, tu veux que je t'aide ?

— Bonne idée, ça va me calmer.

— Tu en es où ?

— *Out of Africa,* quand il lui lave les cheveux au milieu de la savane en lui récitant un poème. Le moment où elle éclate de rire, la tête pleine de mousse.

— Faudrait des films de mecs aussi.

Juliette ne dit rien.

Max prend la voix d'Hannibal Lecter dans *Le Silence des agneaux.*

— J'ai été interrogé par un employé du recensement… j'ai dégusté son foie avec des fèves au beurre et du chianti.

Juliette rit.

— Tu l'imites super bien.

— Et n'oublie pas le bruit de bouche quand il se lèche les babines.

— Mais j'ai pas envie d'un cannibale. J'ai envie d'amour et de romantisme et comme c'est moi qui fais la sélection, j'en profite.

— Va pour ton top ten !

— *Sur la route de Madison,* l'impossible choix de Francesca Johnson, la main sur la poignée de la portière…

Juliette fait une pause pour ménager le suspense, comme si Max ne connaissait pas le film. Robert Kincaid pense que Francesca va le rejoindre. Leurs voitures sont côte à côte, au feu rouge, sous une pluie battante… elle hésite… elle tremble… sa main retombe… elle a choisi !

— Et toi, ne mets pas ta main sous la table la prochaine fois que tu dînes avec un homme.

— Faudrait d'abord qu'un homme me trouve aimable. À trente et un ans, je vais entrer dans le livre des records pour mon impressionnante collection de plans foireux, de faux départs, de mirages…

Juliette pense à la Reine : « Mille hommes, mille étincelles. »

Elle, elle voudrait l'équilibre, le calme, la douceur, avec un seul. À chaque rencontre, elle croit que c'est arrivé. D'une phrase, elle fait immédiatement un projet de vie : « Tu es redoutable, on peut s'attacher à toi très fort et très vite », « Je suis chaviré »… Et hop ! Juliette se voit dans *La Petite Maison dans la prairie.* Elle aime le début de l'histoire, les palpitations, le vertige, les pur-sang qui galopent crinière au vent. L'illusion comble un instant son vide abyssal. Des bras pour oublier ceux que sa mère n'a jamais mis autour d'elle. Une famille entière avec un homme en transit.

— Tu tombes toujours sur des phénomènes ! Ah !
le départ à la plage avec le compulsif de l'été dernier… raconte-moi.

— Encore !

— S'il te plaît… Je ne m'en lasse pas.

Juliette se met debout pour mimer la scène.

— Je ne plante pas le décor, tu connais.

*

Il prend les jerricanes dans le garage et les remplit
d'eau, ni trop chaude ni trop froide, afin que deux
heures plus tard, quand on sortira de la mer, elles
soient à température parfaite pour se rincer. Quatre
bidons de vingt-cinq litres. Cent litres d'eau pour
deux. J'avais grossi mais quand même.

Il rassemble les chaises longues, les parasols, la glacière, la pelle, le râteau, les lunettes solaires, les
lunettes de lecture, les lunettes pour conduire. La serviette pour le corps, la serviette pour le visage, la serviette de plage. Les crèmes solaires. La protection
huit, la protection vingt, l'écran total.

— La plage pour une semaine ?

La plage pour trois heures !

Il cherche les chaussons pour ne pas toucher le sable
avec ses pieds. Ils ne sont pas dans le cabanon 1, ni
dans le cabanon 2, le cabanon 3, l'atelier, le garage, la
remise. Les chaussons et le tapis de sol. Pas de sable et
le moins possible de Méditerranée sur soi. C'est l'idée.

Moi, j'avais tout jeté en trois secondes dans mon cabas, j'étais prête depuis une heure.

« Pour une fois que tu te lèves tôt », a-t-il dit.

Il fait une petite lessive avant de partir. De trois torchons. Y en a dix propres qui attendent qu'on les utilise mais quand même, mieux vaut ne pas être pris au dépourvu quand on rentrera. Il faut attendre que la machine ait fini de tourner pour partir, des fois qu'elle fasse un caprice et décide de s'arrêter au milieu du programme.

On charge la voiture, enfin, il charge la voiture. Dans un certain ordre. Les serviettes, les crèmes solaires, les chaussons, les chaises longues, les parasols, le tapis de sol, la glacière, la pelle, le râteau, derrière ; les quatre bidons devant. Regarde d'un air préoccupé le coffre rempli. Ça ne lui convient pas. Il le vide. Étale tout par terre. Recommence. Les bidons derrière, les parasols, le tapis de sol, les chaises longues, la glacière, la pelle, le râteau, les serviettes, les crèmes solaires, les chaussons devant.

Il transpire à grosses gouttes. Il annonce qu'il va prendre une mini-douche avant de partir. Quinze minutes, la mini-douche.

Il fait 40 degrés mais il se sèche les poils, au sèche-cheveux, sur vitesse lente. Les poils des oreilles, de la barbe, du torse, du sexe.

— Du cul aussi ?

— Aussi !

… Il ferme le petit cabanon, le moyen cabanon, le grand cabanon, la remise, le garage, l'atelier. Trousseau de clés un, deux, trois, quatre, cinq, six.

Il met de l'eau dans le lave-glace. Vérifie le niveau d'huile, la pression des pneus.

— À six cents kilomètres, la plage ?

— À trente minutes de là !

Il jette un coup d'œil inquiet autour de lui, persuadé qu'il a oublié quelque chose.

Il règle le GPS, l'avertisseur de radar, le chargeur d'iPhone, l'iPod, la présélection des fréquences radio sur Trafic Info, remplit le chargeur de CD.

— Tu n'en rajoutes pas un peu ?

— Non ! C'est la version courte !

On est partis. Presque. Arrêt à la station d'essence. Vérification des prix. Trop cher. On cherche une autre station, les prix sont moins élevés, mais les pompes sont vides. On repart, un peu agacés. Surtout moi ! Retour à la première station. Il fait le plein du réservoir. Cent litres.

Arrivée à la plage. Il est midi. Il cherche dans le parking bondé la meilleure place pour se garer, loin de portières qui pourraient toucher les siennes. Trois tours de parking. Rien. Les seules places libres ne sont pas idéales. C'est reparti pour deux tours. Une place se libère. Ouf !

Il enfile les chaussons anti-plage. Pas moi. J'attends toute l'année ce moment où je vais enfin plonger avec délectation mes orteils nus dans le sable. Pour lui, le sable et la mer sont des ennemis.

« T'as pas l'air contente, dit-il d'un air excédé. Je te rappelle que si on est là, c'est pour te faire plaisir. »

Traversée de la plage avec les quatre bidons, les parasols, le tapis de sol, la pelle, le râteau, la glacière, les chaises longues, les serviettes, les crèmes, les lunettes. Plusieurs allers-retours. Moi, priant pour ne croiser personne de ma connaissance.

Il ratisse pour égaliser le terrain, creuse sur près d'un mètre de profondeur pour planter les parasols. Oriente le premier, incline le deuxième. Déroule le tapis de sol. Très lentement, pour ne pas risquer l'invasion de quelques grains de sable. Installe sa chaise longue de façon à pouvoir surveiller sa bagnole. Dos à la mer.

« Tu as mis l'étui avec mes lunettes de lecture dans le sac ?

— Non.

— Je t'ai confié une seule mission… Et tu as échoué.

— Pardon Monseigneur. »

Derrière nous il y a des transats et des parasols à louer, trois buvettes, deux douches !

\*

Max est mort de rire. Pas Juliette.

— Et tu sais le pire ? Pas une seconde il ne s'est dit : « Quel con ! » Et moi, pas une seconde je ne me suis dit : « Qu'est-ce que je fous en vacances avec ce dingue ? »

— Il y a bien quelque chose qui t'a séduite chez lui au départ ?

— Il avait dit « nous ».

Max lève les yeux au ciel devant tant d'ingénuité.

— Tu ne cherches pas au bon endroit, je te l'ai déjà dit. De nos jours, l'âme sœur se trouve sur Internet.

— Alors elle est bien cachée, mon âme sœur. Si elle voulait me faire un signe, parce que pour l'instant...

C'est Max qui l'avait poussée à s'inscrire.

— Ma Juliette, des gens se rencontrent sur ces sites, tombent amoureux, se marient...

— Et si je tombe sur un psychopathe ?

— Effectivement, le risque zéro n'existe pas.

*Ceux qui disent ça restent au bord et vous regardent sauter dans le vide. Eux ne se lancent jamais.*

Il l'avait emmenée à des tas de soirées. Sans résultat. Elle avait essayé les cafés philosophiques, les tables de polyglottes, « The English Speaking Movie Club » et même un cours de bricolage. Elle n'avait croisé ni Jude Law, ni Jean Dujardin, ni Al Pacino, ni même Danny DeVito. Alors, quelques semaines plus tôt, elle avait franchi le pas. Max lui avait trouvé un pseudonyme.

— « Princesse Farouche ». Tu pousses le bouchon un peu loin, Max !

*Et pourquoi ne pourrait-on pas m'aimer avec mon vrai prénom ?*

Une nuit d'insomnie elle s'était promenée sur le site. Elle imaginait une faune hétéroclite, chiffonnée comme elle par le manque de sommeil, qui faisait son petit marché à deux heures du matin. Tenues négligées, poils de barbe à fleur de peau, cernes bleutés. Hypnotisés par leur écran comme des enfants devant une vitrine de Noël, ils arpentent les allées du supermarché de l'âme sœur à la recherche de la denrée rare qui donnera un sens à leur vie. Gentils, méchants, tricheurs, désœuvrés, désespérés, désabusés : tous voudraient être quelqu'un pour quelqu'un. Beaucoup de monde au rayon douceurs. Les cœurs se frôlent. Petits instants. Petits frissons. Elle n'avait pas insisté.

— Faut persévérer, lui conseille Max.

— Je n'aime pas me promener dans un supermarché et mettre des hommes dans un panier, cliquer sur l'icône « produits régionaux », « arrivage massif de tatoués », « réserver ce mec pendant 24 heures », « déstockage », ou « remettre en rayon ». Je n'aime pas le zapping et les castings. Moi, j'aime Eluard et Frank Sinatra, le raffinement et l'harmonie. J'ai pas les nouveaux codes. Si le romantisme, c'est devenu ringard, je suis foutue !

Ils rient. Juliette aime travailler avec Max, leurs pauses-café. Ils avancent toujours sans voir le temps passer.

Elle lui montre ses scènes favorites.

— J'ai ça aussi.

— C'est des années quatre-vingt-dix.

— Oui, mais c'est fort.

À l'écran, Al Pacino dévore Michelle Pfeiffer du regard avant de l'embrasser au milieu du marché aux fleurs.

Et tout à coup :

— Ça fait longtemps que quelqu'un ne m'a pas touchée.

— Le cri du cœur !

— Je pense tout haut, ça va mal.

Max se lève.

— Viens là, ma tourterelle.

Il l'enveloppe de ses grands bras.

— Oulà ! Ça fait du bien, soupire Juliette.

— Aux États-Unis, il y a des clubs de *hugging*. On serre des inconnus contre soi avec conviction. Et on leur dit : « *I love you very much.* »

— Woodstock, le retour ! Manque plus que la grande prairie et les chemises à fleurs.

Max se vautre en travers du fauteuil, les jambes par-dessus l'accoudoir.

— J'en ai assez de me retrouver seule la nuit sur mon oreiller. Je ferais un bon sujet pour une chanson de Bénabar. J'ai envie d'amouuuur…

— Fais confiance à ta bonne étoile.

— Elle a pris une année sabbatique, ma bonne étoile.

## 13

D'habitude, il est toujours là pour le journal de vingt heures. Simone l'appelle dans la cage d'escalier. C'est pendant le générique du film qu'elle commence à s'inquiéter. Elle suit l'histoire mais elle perd le fil parce que Jean-Pierre est dans ses pensées au lieu d'être sur ses genoux.

À vingt-trois heures, il n'est toujours pas rentré. Elle retourne sur le palier, descend sur la pointe des pieds voir si la porte de la cave ne s'est pas refermée derrière lui. Non. Elle hésite. Il est tard, elle ne veut pas réveiller les autres. Giuseppina se lève aux aurores et la Reine a le sommeil léger. Il va sûrement arriver.

Elle laisse la porte de son appartement entrouverte et dispose bien en vue, sur une jolie assiette, son repas préféré : mi-cuit de saumon aux fleurs de brocoli. Il sera certainement affamé quand il rentrera tout à l'heure.

Elle se couche. Une nuit sans la chaude fourrure de Jean-Pierre, sans le poids de son corps contre elle, ça n'arrive jamais. Elle reste assise dans son lit, guettant le bruit de ses pattes sur le plancher, le bout de sa moustache, de sa queue en panache. Au moindre craquement, elle pense qu'il est là, que d'un bond vigoureux il va la rejoindre, lui mordiller les orteils, lui donner un coup de langue râpeuse, mendier une caresse, se tourner, se retourner, s'installer avec volupté, séduisant et sûr de lui. Elle maudit les journées parfumées qui agitent les mâles. Elle l'imagine ronronnant dans les bras d'une autre, s'endort quelques minutes à l'aube et se réveille en sursaut, épuisée. Elle tapote la couette. Personne !

Cette fois, elle va prévenir tout le monde. Elle ne sait pas par qui commencer. Elle envoie un texto à toute la maison : « Jean-Pierre a disparu ! »

C'est Rosalie qui sort la première de chez elle, en bâillant.

— Jean-Pierre, Jean-Pierre…

Juliette ouvre sa porte, au deuxième. Sa voix se mêle à celle de Rosalie.

— Jeaaaan-Pieeeerre…

— QUELQU'UN A ÉTÉ VOIR DANS LA BUANDERIE ? crie Giuseppina du premier.

— Que se passe-t-il ?

Elles s'avancent vers la cage d'escalier, lèvent la tête vers le ciel. La Reine, majestueuse, en peignoir de satin et mules de velours, les surplombe.

— Jean-Pierre n'est pas rentré.

— Je vous attends chez moi.

Alors, sans l'ombre d'une hésitation, en pyjama de pilou, en tee-shirt Hello Kitty, en chemise de nuit rose, en nuisette à fleurettes et à six heures du matin, elles montent au cinquième étage.

— Je vais préparer du thé.

— Rosalie, le thé ne va pas le faire revenir ! T'as pas un truc ?

— Accroche des ciseaux ouverts à un clou.

— C'est déjà fait, il s'en fout.

— Et le torchon noué au pied d'une chaise, tu as essayé ?

— Le coup du torchon, j'y crois pas.

— Pourtant ça marche pour les clés. Pour les bêtes à poil, je ne l'ai pas tenté.

— Il ne passe jamais la nuit dehors, il dort toujours avec moi, il n'est pas volage. C'est fou, un homme ou un chat, y a rien à faire, on s'attache, dit Simone. Je suis complètement dépendante.

— On l'aime toutes, Jean-Pierre.

— Je l'ai nourri au biberon, continue Simone. Il miaulait « occupe-toi de moi ». Je lui ai fabriqué une petite bouillotte. Je lui ai donné mon pull en mohair. Je l'ai veillé la nuit. Je vous avoue que je lui ai chanté des berceuses. Je sais, c'est ridicule. Je me souviens du jour où Nicole et Monique m'ont dit : « Vous ne voulez pas un petit chat ? » J'ai répondu : « Un chat ! Pas question ! » Elles ont insisté. J'ai craqué dès que j'ai vu son museau brillant et ses yeux ambre pailletés de cuivre, bordés d'un fin trait noir comme s'il s'était maquillé, son air effronté, la fourrure ébouriffée sur son ventre, son regard tendre.

Simone pleure. Son désarroi touche tout le monde.

— Vous avez regardé dans les hortensias ? Parfois il s'y cache.

— Juliette, y a pas des sites pour les chats disparus ? miyahoo.fr ou quelque chose du genre.

*Moi je ne connais que legrandamour.com. Stop Juliette ! C'est pas le moment de penser à ça.*

— C'est sûr, il s'est trouvé une autre maîtresse, gémit Simone.

— Faut lui couper les olivettes, s'emballe Giuseppina.

— Jean-Pierre, un castrat ? Jamais !

— Fais la chandelle, suggère Rosalie, ça calme.

— J'ai déjà la tête à l'envers.

— On pourrait aller chez une voyante avec une photo.

— Taisez-vous. Écoutez, dit Juliette. Elle ouvre la baie vitrée.

— Venez voir. Monsieur Barthélémy est à sa fenêtre, il nous appelle.

— Hohé, les demoiselles. Y a quelqu'un qui vous cherche.

— Jean-Pierre ?

— Jean-Pierre !

— C'est Jean-Pierre.

— Quel Jean-Pierre ? Moi, je vous parle de votre chat.

Simone crie.

— MON CHÉRI !

Elle lâche sa tasse, et indifférente au thé qui se répand sur le parquet ciré de la Reine, traverse l'appartement, dévale les cinq étages.

Rosalie, Giuseppina et Juliette sortent sur la terrasse. Aux premières loges pour voir Simone jaillir de l'immeuble, voler au-dessus de la cour, passer la grille, traverser l'impasse chemise de nuit au vent, entrer chez monsieur Barthélémy et ressortir avec son trophée qu'elle serre sur son cœur, l'air harassé et radieux de la championne qui vient de gagner la finale du quatre cents mètres haies aux Jeux olympiques. Elle l'embrasse quinze fois puis elle lève la tête et crie à l'attention de ses complices attendries :

— Ce qu'il y a de meilleur dans l'amour, ce sont les retrouvailles. Je savais bien qu'il était fidèle, celui-là !

## 14

Les beaux jours sont là. Simone décide de descendre ses vêtements d'hiver à la cave. Jean-Pierre passe entre ses jambes, renverse un carton en équilibre instable d'où s'échappent des vieilles chaussures aux talons carrés et aux semelles usées par des heures de danse. La dernière fois qu'elle les a mises, c'était il y a dix ans…

À cette époque elle habitait rue d'Alésia, à l'autre bout de Paris. Depuis son retour d'Argentine, ça la démangeait de danser. Elle avait trouvé un cours intéressant, enfilé un pantalon noir, une tunique et *vamos a bailar la salsa !*

\*

Le professeur s'appelle Carlos. Après quelques soirées, elle a acheté une nouvelle paire de chaussures, plus hautes, en vernis noir, avec une jolie bride en strass. Elle, d'ordinaire si peu intéressée par ces choses-là, a envie de se maquiller, d'être jolie et de percevoir dans le regard de Carlos une lueur d'étonnement. Elle a mis une robe rouge décolletée, fermée par dix-sept petits boutons dans le dos, déposé une goutte de parfum Lilas blanc derrière ses oreilles et au creux de ses poignets. Elle sent le printemps.

D'habitude, elle danse avec les autres élèves. Parfois avec des femmes, quand les hommes sont moins nombreux. Elle passe de mains en mains : des moites, des sèches, des mains qui s'agrippent, des chaudes, des froides. D'un homme qui mâche consciencieusement son chewing-gum à cet autre qui transpire généreusement. Elle essaye d'éviter le maladroit qui lui marche toujours sur les pieds.

Pour la première fois, c'est Carlos qui la guide. Sous une tignasse foncée, un regard sombre et intense, une mâchoire carrée, des lèvres charnues. Pas très grand, ses yeux plongent dans ceux de Simone. Il porte une chemise blanche à laquelle il manque un bouton et un pantalon noir trop serré, tendant le tissu de mauvaise qualité sur ses fesses de torero. Il s'adresse au groupe.

— Lé pas dé base... lé hanches mobiles... lé génoux souples... l'homme avance la femme recule... mambo... kick... si tou né pas heureux aujourd'hui, cache ta douleur derrière ton sourire. Oun dos tres... on change dé partenaire... changez.

Il la tient serrée contre lui.

— Toi, tou reste avec moi.

— Dévant, dérrière, côté... né perds pas dé voue ta partenaire, gringo, tou a ouna princessa dans lé bras !

Sa façon de prononcer les « u » en « ou » amuse Simone.

Il la serre un peu plus fort. Sa peau exhale une odeur de tabac brun et d'eau de toilette épicée.

— Pas besoin dé sé parler... lé corps disent tout, ajoute-t-il à voix basse.

Comme s'il y avait un pacte secret entre lui et la musique, Carlos glisse avec une grâce animale sur le parquet, qui semble élastique sous ses pieds. Il enlace Simone en fermant les yeux.

Il fait une chaleur torride ce soir-là ou alors c'est sa température à elle qui est montée de quelques degrés. La sueur perle à la racine de ses cheveux. Elle a la poitrine brûlante. Une petite rivière coule entre ses seins. Il lui murmure à l'oreille :

— Quand tou danse, ta tête oublie. Laisse-toi aller, *bailarina*.

Elle s'applique pour le suivre, ne pas trébucher. La petite rivière ne l'aide pas à se concentrer.

À la fin du cours, les élèves applaudissent, se dispersent.

— À jeudi prochain.

Sans dire un mot, Carlos prend Simone par la taille, l'attire dans l'escalier et la guide à travers les ruelles jusqu'à un bar minuscule du quartier. Perchés sur de hauts tabourets instables, on y sirote, dans la pénombre, des cocktails colorés. Il lui commande un mojito qu'elle boit trop vite. L'acidité du citron vert la fait frissonner. Elle se rappelle que « *ojito* » veut dire chéri.

— Cé seulement avec toi qué j'avais envie dé dansé cé soir.

— Mes pieds ont bougé tout seuls.

— Jémerais té connaître mieux, savoir qui tou es.

— J'ai trop bu. Il vaudrait mieux que je rentre.

Il s'approche, caresse sa nuque du bout des doigts, juste le petit creux. Elle a l'impression que le tabouret disparaît sous elle.

— Jé vé té raccompagner. Appouie-toi sour moi.

Elle n'habite pas très loin. Ils restent silencieux pendant le court trajet. Dans l'ascenseur, il se met face à elle. Elle a le trac. Elle se demande ce qu'il imagine. Il croit peut-être qu'elle fait ça toutes les semaines, qu'elle est une experte. Adossé au miroir, il l'observe avec insistance. Préambule des prélimi- naires, il la cherche, la déstabilise. Elle n'a pas l'habi- tude de cette proximité dans un lieu clos, de lire l'audace du désir brut dans le regard de l'autre.

Il s'approche. Elle sent son souffle lui caresser le visage. Ses yeux noirs brillants sourient. L'ascenseur s'arrête. Elle cherche ses clés, gagne un peu de temps.

La porte de l'appartement à peine ouverte, il l'entraîne dans le couloir, la tenant fermement d'une main. De l'autre, il pousse la porte de la cuisine, du salon, de la salle de bains, jusqu'à trouver celle de la chambre. Il éternue.

— Cé comme ça toujours, quand jé souis excité, jéternoue.

Il l'attire contre lui. Collés l'un à l'autre, ils dansent une salsa lente. Elle sent le sexe de l'homme durcir contre son ventre, troublée de provoquer cette érection instantanée.

Il chuchote.

— Lé sexe est oune improvizatione… cé à chaque fois oune danse différente.

Elle ferme les yeux. Carlos la déshabille avec délicatesse, bouton après bouton – les dix-sept –, découvre une épaule, glisse un doigt sous la bretelle de son soutien-gorge à balconnets. Elle rougit d'avoir osé cette lingerie, raffinée comme une préméditation. Il descend doucement le long de la dentelle, effleure la pointe d'un téton qui se dresse, puis le deuxième, va et vient de l'un à l'autre. La robe rouge et le slip en dentelle glissent sur le sol. Elle est nue face à cet homme, nue face à un inconnu à qui elle va se donner pour la première fois. Elle se dit qu'il voit ses hanches larges, ses cuisses et son ventre qui ont renoncé depuis longtemps à la fermeté. Elle a envie et peur. Envie et honte de son corps imparfait. Elle éteint. Les mains de Carlos continuent d'explorer son corps. Il les pose

doucement sur son ventre, fruit mur qui s'abandonne
à la caresse de l'homme plus jeune.

— Ma ké tou é belle, *mi amor.*

Il l'allonge dans les draps frais en coton blanc ajouré,
visite à son rythme courbes et creux, selon un itinéraire
imprévisible. Jamais Simone n'a été caressée aussi sen-
suellement. Sous les mains de Carlos, ses cheveux en
brosse deviennent de la soie. Carlos pose sa bouche
entrouverte sur la sienne, ils respirent d'un même
souffle. Elle aime retrouver le goût du mojito. Il joue
avec la pointe de sa langue, mord ses lèvres. Juste
assez pour qu'elle ait envie que ça recommence. Les
yeux fermés, ils lisent le corps de l'autre en braille.
Leurs parfums se mêlent : tabac brun, eau de toilette
épicée, savon de Marseille et Lilas blanc. Il prend le
temps de l'apprivoiser, il a toute la vie, il est généreux.
Elle se sent belle, elle s'abandonne. Ils s'embrassent,
ils s'embrasent…

Les résolutions auxquelles Simone se tient depuis si
longtemps s'effondrent, ses protections tombent. Elle
n'est plus la petite paysanne des Vosges, la maman de
Diego, la femme trahie. Elle est le désir de Carlos. Elle
oublie ses désillusions, son âge. Sans retenue, elle colle
sa bouche sur sa peau, l'embrasse avec gourmandise.
Une peau chaude, humide, sucrée. Les caresses se
font plus précises. Les mains de Carlos sont expertes,
agiles, connaisseuses. Il guide les siennes. Elle frissonne
et elle aime ce frisson. Impatience des corps, bassin

cambré, sexe arqué. Elle se laisse prendre, s'ouvre comme une fleur, s'offre au plaisir. Il entre en elle, vigoureux, conquérant, il est chez lui, ralentit, va et vient, lentement, doucement. Ses hanches ondulent, improvisant une chorégraphie inédite. Il murmure dans le creux de son oreille : *me gusta cuando me tocas así, estas maravillosa, te deseo.* Une mélopée qui rythme ses mouvements. Simone voit mille couleurs dans le noir. Elle s'accroche aux fesses de torero et se laisse emporter, loin de la chambre, loin de Paris et de l'Argentine.

Il la réveille à l'aube. Elle dort seule depuis des années, et voilà qu'un homme nu colle son sexe contre son dos. Il glisse en elle en silence. Connivence. Pas besoin de mots. Peau laiteuse et peau mate, épice et lilas. Ils ne font qu'un. Elle n'a jamais vécu ça, jouir plusieurs fois la même nuit.

— Les corps ne trichent pas, chuchote-t-elle en se rendormant contre lui.

Simone s'est levée la première, elle marche sur la pointe des pieds pour ne pas réveiller son amant. Elle aime le savoir dans la chambre, pendant qu'elle prépare leur petit déjeuner. En arrivant dans la cuisine elle remarque que la peinture s'écaille sur le mur du fond et note dans un coin de sa tête qu'elle devrait s'en occuper. Ce matin-là, sa priorité est ailleurs. Ça ne lui arrive pas souvent d'avoir un homme à gâter. Elle enlève du torchon le pain qu'elle a cuit la veille et en coupe quelques tranches. Croustillant à l'extérieur, moelleux à l'intérieur. Parfait. Elle ouvre un pot de confiture, choisit sur l'étagère le thé à la bergamote *Matins enchantés,* arrange les fleurs dans leur vase, allume une bougie, organise le panier avec les fruits pour que la composition de couleurs soit harmonieuse, choisit une fréquence classique à la radio.

— « Et pour finir ce cycle, écoutons la fantaisie n° 3 en *ut* majeur de Schubert. »

Elle ne connaît pas ce morceau, ni Schubert à vrai dire, mais ça lui semble idéal pour commencer une journée d'amour. Elle a le corps endolori mais c'est une douleur si douce. Elle pense à « l'effet robe rouge ». Elle sourit.

Carlos entre dans la cuisine d'un pas décidé, passe devant elle, se dirige comme un automate vers la radio, coupe Schubert au milieu d'un trait de violon, s'assied très droit sur la chaise. Il a l'air plus grand que la veille. Pas un mot ne sort de sa bouche. Elle se dit qu'il n'est pas du matin. Concentré, le regard fixé sur sa tâche, tranche de pain plaquée sur la planche en bois, couteau métallique dans la main droite, croûtes coupées sans hésiter clac clac clac clac. Lame plantée dans le beurrier. Mouvement précis et régulier. Avant arrière, avant arrière. Cuillère plongée dans le pot de confiture – de la mûre, faite maison. Juste mesure. Rien ne dépasse. Dose de lait millimétrée. Un demi-sucre cassé d'un geste sec, répété, perfectionné, depuis des années. Cuillère tournée, cuillère posée. Il boit une gorgée de thé, mange un coin de tartine, puis le deuxième puis le troisième puis le quatrième. Dans le sens des aiguilles d'une montre. Une gorgée de thé, une bouchée. Cinq tours de tartine, vingt gorgées de thé. Pas de sourire complice, pas d'accusé de réception de leur nuit, pas un battement de cils. Le silence, troué par le bruit des mandibules qui broient la tartine et l'écoulement du thé dans les entrailles du Latino.

Il se lève, tape sur les fesses de Simone, récupère son blouson dans l'entrée, lui envoie de loin un baiser avec deux doigts.

— Tou a été oune tré bonne élève. *Hasta luego* poupée !

Simone n'a pas bougé.

Elle regarde le pot de confiture, les croûtes de pain abandonnées, les fleurs dans le vase, les fruits qu'il n'a pas touchés, la bougie allumée, la radio muette. Elle fait le tour de la table, remet la chaise en place, souffle la bougie, se dirige comme une somnambule vers la chambre, contemple le lit défait, enlève les draps, enfouit son nez dans l'oreiller de Carlos et fond en larmes. Des larmes qui viennent de loin. Celles qu'elle n'a jamais versées en Argentine. Celles qu'elle n'a jamais répandues pendant toutes ces années de solitude. Vidée, humiliée, triste à crever, elle s'en veut terriblement de sa naïveté. Il lui a dit *mi amor* et elle a cru qu'il l'aimait. Elle enfourne le ballot de linge dans la machine à laver, tourne rageusement le bouton sur quatre-vingt-dix degrés et claque le hublot de toutes ses forces.

Elle retourne dans la cuisine se servir un thé. Mais au moment de soulever la tasse, pleine à ras bord de *Matins enchantés,* elle la repousse, se lève, ouvre l'armoire, attrape la bouteille d'eau de vie à la mirabelle et se verse une rasade qu'elle boit cul sec.

Simone s'est trompée d'homme. Elle n'est pas la femme d'un Carlos. Celui qui lui conviendrait est tout autre.

Un mètre quatre-vingts, chiffonné, ours brun mal rasé, les pattes larges, un grain de beauté au-dessus du sourcil gauche – elle craque pour ce bougon pas très gracieux –, il entrerait dans la cuisine, de fines lunettes fumées sur le nez, cigarette à la main, en grommelant :

— Alors ma chérie, tu me le fais ce café. bien fort… brûlant !

Sa face sombre, ses moues, sa dégaine embarrassée, sa nonchalance rempliraient tout l'espace. Il dirait bonjour. Il apprécierait Schubert. Il remarquerait les fleurs. Sa voix rocailleuse, les notes d'accent pied-noir qui rappelle son Castiglione natal, sonneraient bon le sud de l'Algérie. La cuisine se mettrait à chanter. Ce serait l'été tout à coup. Adossé au mur, derrière la petite table, il serait chez lui : Jean-Pierre Bacri !

L'homme aux yeux de velours la regarderait au-dessus de son café, plongerait la cuillère dans le pot de confiture avec maladresse et gourmandise, l'étalerait largement, mordrait à pleines dents ; un peu de confiture dégoulinerait au coin de sa bouche. Ça lui plairait, la mûre, ça se verrait. Il en reprendrait sans compter, il serait content. Il se lèverait, lui plaquerait un baiser sonore sur la joue.

— Hummmm ! Ma Simone, c'est ça la vie !

Elle a vu tous ses films, connaît par cœur toutes ses répliques.

Mais surtout, elle aime ce qui émane de lui dans ses interviews : « ... le sourire, s'il est pas spontané, j'en fais pas... je préfère la sincérité... les héros c'est chiant... pour moi l'être humain c'est du paradoxe sur pattes... j'aime les gens, j'ai de la tendresse pour leurs fragilités et leurs petites lâchetés. »

Mais Bacri n'est sûrement pas libre. Le moule est cassé. Des hommes comme ça, il n'y en a plus. Elle préfère être seule que se contenter d'un deuxième prix. Un « Bacri » sinon rien !

Peu de temps après, elle poussait la porte de l'immeuble des femmes.

\*

Dix ans ont passé. Simone est dans la cave, ses chaussures de danse à la main. Elle les pose sur l'étagère, ferme la porte, s'en va, revient, les reprend. Peut-être qu'elle retournera danser. Elle ne sait pas.

Dans l'escalier, elle tombe nez à nez avec la grosse boule de poils roux, qui la regarde de ses yeux ambre.

— Viens mon Jean-Pierre, viens faire un câlin à Simone.

# 15

Il a fait froid toute la semaine. Les rues sont désertes. Même Jean-Pierre a renoncé à sa virée quotidienne. Dans l'immeuble des femmes, aucun bruit, chacune est calfeutrée dans son appartement. Au deuxième étage, Juliette se demande si elles rêvent d'un homme, si elles pensent à l'avenir, si elles envisagent de finir leur vie sans caresses. Et si elle est à la bonne place avec une Reine qui parle aux bambous et une accro de yoga qui se met sur la tête à tout bout de champ. Depuis qu'elle vit ici, elle visualise ses vieux jours. Le scénario est toujours le même.

Il pleut. Elle est tassée dans un fauteuil en skaï et regarde par la fenêtre les gris du ciel qui se confondent. Elle porte une chemise de nuit avec des bas épais beiges et de vilaines pantoufles à pompons. Sur ses genoux, un transistor, qu'elle serre très fort entre ses mains. Sur la table, une boîte de chocolats. Tout est vieux : les tapis, les murs, les meubles, les gens. Elle aussi est vieille.

Un homme frappe une assiette avec une cuillère, en criant : « Compote, compote, compote. » Un autre fixe le mur devant lui.

Des visiteurs arrivent. Ils sont partagés en trois groupes. Les premiers ont l'air triste, les seconds consultent leur montre, les derniers font les pitres pour un éclair de lucidité dans le regard de ceux qu'ils aiment.

Les répliques sont toujours les mêmes.

— Y avait quoi au menu aujourd'hui ?

— Les infirmières sont gentilles ?

— Ne fais pas l'enfant, tu sais bien que c'est trop petit chez nous.

La voisine de Juliette est sourde. Elle ne perçoit même pas le son de la télévision de la salle commune. Elle refuse l'appareil auditif que le docteur lui propose. Elle semble tranquille. Ça doit l'arranger de ne plus entendre les blagues stupides que son beau-fils lui raconte en criant.

Pour Juliette, pas de visites. Pas d'enfants. Pas d'amoureux. Pas de prétendant.

La fin du scénario catastrophe est toujours la même. Un homme qui ressemble à un troll avec ses cheveux blancs dressés en l'air lui sourit. Il souffle cent bougies sur un gâteau. Il s'appelle Abraham. Elle sait que c'est un prince. Il est charmant. Elle ouvre des portes,

112

des armoires, des tiroirs. Elle ne trouve ni robe de bal ni pantoufles de vair dans sa chambre, pas de diadème en dessous de son lit. Le lit a disparu. À sa place, des cannes, des dentiers, des chaises percées.

Juliette sursaute. Jean-Pierre a fait tomber un livre. Elle attrape son ordinateur et tape une adresse. Dix-sept mille cinq cent vingt-trois hommes sont répertoriés sur ce site de rencontre, il suffit d'avancer la main, de cliquer.

*Il va bien y en avoir un pour me sauver. Ce soir, je trouve un homme ! Comme les chasseurs qui affirment : « Aujourd'hui, je tue un sanglier ! » Un homme qui me regardera dans les yeux et qui me dira : « C'est toi que j'attendais. »*

Juliette tape une nouvelle annonce : « J'aime les sandales aux talons vertigineux, les légendes urbaines et le chocolat noir aux zestes d'orange confite. » Dans la rubrique recherche rapide, elle coche : « Femme cherche Homme, de 30 à 40 ans, pour Amour. » C'est une avalanche de garçons ! « Cyrano, Joli Bandit, Zorro, Chatounet, El diablo, Gatsby, Jacklove, Salut-biloute, Toupie… » Juliette a le tournis. Elle fait défiler les quatre cent quatre-vingt-cinq photos : des joufflus, des ternes, des sinistres, des sourcils qui se rejoignent, des longues barbes. De plus en plus vite. Rien ! Rien ! Rien ! Aucune vibration. Les photos en plan large ne l'aident pas : le pékinois dans les bras, la main de l'ex sur l'épaule, la plante verte en plastique, la télé allumée sur Canal+ crypté, le torse velu, les petits pectos, la grosse moto. Elle clique pour ouvrir des profils.

*Ah ! Un voyageur... ça m'intéresse ! Il va où, le voyageur ? Au Québec pour six mois. Mauvaise pioche ! Suivant !*

Une enveloppe clignote : un message de « Zébulon ».

*Ça va vite ici, je viens à peine de me connecter.*

« Peu m'importe une date de naissance. Une ride peut me plaire, un regard me troubler, une démarche me séduire. »

*J'aimerais être la seule à qui tu le dis Zébulon. Pas un copier-coller à vingt mille exemplaires. Suivant !*

« Dans notre histoire, il y aurait de belles lumières, des idées qui pétillent, de la douceur, des maladresses, de la gourmandise, l'élan et la retenue, des rires et des étoiles dans les yeux. Le Petit Prince. »

*Je vais aller sur adopteunmec.com ou dineradeux.fr si ça continue.*

Plusieurs fenêtres s'ouvrent en même temps sur l'écran. En haut à gauche :

*Tiens, « Leica »... il doit aimer les images.*

« Vous m'avez visité sans laisser de trace. Qui êtes-vous ? Je voudrais voir des photos en pied, de profil et de dos avant d'aller plus loin. »

*Il me prend pour une armoire en vente sur eBay ! Suivant !*

114

En bas à droite :

« Un samedi soir sur la terre, Paris jazzait. L'humeur était poétique et l'imaginaire dansait avec une image : un acrobate et une funambule sur le fil. Gatsby. »

Juliette effleure l'écran et chuchote :

— Hummmm… J'aime ce mystère… Écris-moi encore Gatsby.

*Qu'est-ce que je fais ? Je parle à un écran ? Je deviens folle ! Ça me détricote le cerveau tout ça !*

Il disparaît. Un autre arrive. La boîte de dialogue s'ouvre : « Dandy247 ».

— Je me demande si le paysage est plat ou vallonné ?

— Il est plus courbe qu'anguleux.

— Il se passe un petit quelque chose entre nous, tu ne trouves pas ?

— ?

— Tu crèches où ? Donne l'adresse !

— Je suis SDF.

*Même si j'en avais envie, l'immeuble est interdit aux garçons.*

— Salut !

— Déjà ?

— On n'est pas là pour beurrer des tartines.

*En 2013, on couche avant de connaître le nom et le prénom de l'autre. Libellule et Chat botté s'envoient en l'air avant de dire : « Enchanté, moi, c'est Pierre*

115

*Durand, moi, c'est Ginette Duchmin. Tiens, le revoilà, qu'est-ce qu'il dit Speedy Dandy ?*

— Y avait une bombe russe qui venait de s'inscrire. Faut être réactif. T'as pas changé d'avis ?

— Tu restes ou tu passes à l'Ouest ?

— Je suis partout à la fois. Y a le choix ici. Tu écris deux mails à une nana, tu t'assieds devant un café et hop ! Au lit ! Elle a un bouton sur le nez, suivante ! Elle a une tache sur la joue, tu zappes ! Y en a quinze qui frappent à la vitre. Et en plus c'est gratuit. Fais comme moi, sers-toi.

*Va falloir faire des efforts si tu veux m'épouser, Speedy247.*

Juliette revoit le petit garçon qui lui a donné son goûter un jour où ses parents l'avaient encore oubliée : « Tiens, prends. » Elle avait sept ans, elle cherche ça depuis vingt-cinq ans : un protecteur.

*Il est sûrement là quelque part, mon super-héros.*

Elle engueule l'écran.

— T'es où ? Montre-toi. Sors du bois. Je déteste ce virtuel ! Il me faut un vrai mec ! Dans la voiture à côté de moi ! En vacances ! Dans la vie !

Elle se lève, marche de long en large dans l'appartement, va dans la cuisine, mange un pudding au chocolat, reprend son ordinateur, s'installe sur le lit. Cinq heures du matin. Encore deux cent trente-sept hommes connectés.

*Si la Reine me voyait !*

Elle clique encore, encore, encore, engloutit les images. Non, non, non. Stop ! Marche arrière. Un Jude Law égaré parmi les affreux. Lumière verte ! En ligne ! Il est là ! Tout près d'elle !

*Est-ce que tu sens le cèdre ? Est-ce que tu as la voix chaude ? Les mains douces ? Un cœur assez grand pour abriter tous mes doutes ?*

Elle ouvre son profil, en apnée. Elle lit. C'est lui ! Elle l'a trouvé ! Elle lit encore. Et en bas de la page, ces quelques mots : « Je quitte ce site. J'ai rencontré la femme de ma vie. Je suis très heureux. Merci à toutes pour votre intérêt et vos messages. Bonne chance. »

*C'est pas vrai ! À une heure près, c'était moi la femme de sa vie !*

Juliette retourne dans la cuisine manger un deuxième pudding au chocolat.

Elle reçoit un message de « Birdie » : « Pour l'instant tu as les chakras tout fermés. »

*Il a une boule de cristal ! Même pas bonjour, je m'appelle Petit Moineau tombé du nid et il me dit que j'ai les chakras fermés.*

Elle répond.

— Comment ça j'ai les chakras fermés ?

— Affolés même. Le premier à ouvrir, c'est Ana Hâta, la porte de l'âme. Doucement, très doucement.

*C'est pour Rosalie, cet oiseau-là. Ils feraient le scarabée sacré ensemble. Sauf que Rosalie, elle n'a pas oublié*

117

*François. Toutes ces cartes sur la cheminée ! Mais qui sait ? Un jour. Ou pour Giuseppina. Un patient, qui prendrait le temps de l'apprivoiser. De lui ouvrir les chakras un par un. Un homme à chaque étage de la Casa Celestina, voilà ce qu'il faudrait. Suivant !*

« Vous n'êtes pas dans ma catégorie. Je ne suis sans doute pas celui que vous cherchez. Tout est donc formidablement imparfait ! Eustache. »

*Eustache ! Tu as quel âge avec un nom pareil ? 73 ! T'as raison… je suis trop jeune pour passer l'hiver à Nice. Suivant !*

— Je m'appelle Marco. J'aime marcher dans la ville, découvrir des quartiers, entrer dans les salles obscures l'après-midi, tous les films avec Audrey Hepburn.

— Dans quel film la préférez-vous ?

— *Vacances romaines.*

— Moi, c'est plutôt dans *Guerre et Paix.*

— Vous lui ressemblez ?

— Pas du tout, répond Juliette.

L'ordinateur reste muet.

*Pour une fois que je dialogue avec un mec qui a une conversation normale et une bonne tête, ma connexion déconne. J'ai peut-être fait une erreur de manipulation. Mais non, il a coupé. Encore un comme ça et je jette un drap sur l'ordinateur comme on fait sur la cage du perroquet pour qu'il dorme. Allez, le suivant c'est le bon. Tiens ! Un « Zouzou » !*

Juliette rit. La tortue de la voisine, quand elle était petite, s'appelait Zouzou.

*Je vais pas lui écrire ça, il pourrait se vexer.*

Elle tape : « Qui êtes-vous ? » Elle clique sur « envoyer ». Comme si c'était le dernier chocolat de la boîte.

## 16

Au premier étage, Giuseppina ne dort pas. Quand on entre chez elle, on retrouve l'atmosphère de son stand aux Puces. Les styles hétéroclites se côtoient avec harmonie. Un chariot de la SNCF sert de table basse. Des chandeliers tarabiscotés et trois mini-léopards empaillés trônent sur un vieux comptoir en zinc. Une horloge de gare est posée par terre à côté de grandes lettres métalliques cirées. Un fauteuil arrondi des années soixante-dix et, sur un tapis moderne à longs poils orange, un grand Pinocchio en bois, à qui il manque un bras mais dont le nez est intact. Elle collectionne, dans de vieux cadres dispa-rates, des clichés en noir et blanc : de vieilles Sici-liennes sur le pas de la porte de leur maison aux volets fermés, des chats alanguis au soleil.

Au pied du fauteuil crapaud en velours aubergine où elle est assise, la bouteille de Santagostino est déjà bien entamée. Giuseppina serre dans ses mains la photo de sa fille Fortuna. Un an qu'elle ne l'a pas embrassée. Elle glisse la photo en dessous du coussin. Et boit à petites gorgées le vin rouge et chaud, comme elle le faisait quand elle était enfant, en cachette, à la fin d'une journée de travail.

C'était toujours en septembre…

La famille élargie – les trois frères, leurs trois femmes et leurs douze enfants – était réunie pour un rituel incontournable : fabriquer du vin de contre-bande à la maison. Ils l'avaient toujours fait. Dans leur pays d'abord, et maintenant dans cette petite ville du nord de la France. Rien ne pouvait les empêcher de continuer. Ils faisaient venir le camion de Sicile et ils attendaient que les voisins dorment pour décharger en silence les gros sacs en toile de jute, remplis à ras bord de raisin noir. Les hommes faisaient plusieurs allers-retours pour descendre la précieuse marchandise dans la cave de la petite maison ouvrière de Valenciennes. Au bout d'un fil, une ampoule électrique diffusait une lumière jaunâtre.

Giuseppina lève son verre devant un hôte invisible.

— Tu vois papa, j'aime ça. Tout bébé déjà, on mettait quelques gouttes de vin dans mon biberon. C'est bon pour les *piccolini,* disait mon oncle Pepino. À peine j'ai su marcher, j'écrasais les raisins avec mes petits pieds. Quand tu m'y as mise pour la première fois, l'énorme bassine en bois était plus haute que moi. Toute la journée je devais piétiner avec les autres.

J'entends encore ta grosse voix : « *Avanti Cosetta !* – Marche Petite Chose ! » Je tombais avec le soir, épuisée, chaque muscle de mon corps me faisait mal. J'avais les pieds violets et je sentais la vinasse. À l'école, les élèves en tablier rose se moquaient de moi.

À la Saint-Martin, vous goûtiez le nectar avec des airs importants. Si la cuvée était bonne, il y avait quatre cents litres par famille. Une bouteille par jour pendant un an et quelques-unes en plus pour les baptêmes, les anniversaires et les communions. Quand la récolte était mauvaise, tu étais furieux. Et l'année d'après ça recommençait : pieds sales, odeur de vinasse, moqueries. Vos traditions qui bousillent la vie des filles ! Je rêvais de faire des études de photo, je voulais en mettre plein la vue à mes frères. Tu ne savais ni lire ni écrire. Aller à l'école, tu trouvais ça ridicule. Tu as tué mon rêve. *Assassino !*

Giuseppina boit à la bouteille.

— Je bois ce que je veux, c'est pas toi qui vas me l'interdire. Plus jamais un homme ne me dictera sa loi. Je suis libre ! Mon pire souvenir d'enfance, c'est à toi que je le dois, papa ! Tu te souviens ? Des cris, une fumée noire, des gens affolés. Je faisais mes devoirs chez tante Gina quand j'ai entendu la sirène. Je suis rentrée en courant, il y avait un attroupement devant chez nous. La maison menaçait de s'écrouler. Les pompiers ne voulaient pas te laisser passer, tu as fait comme si tu ne comprenais pas le français et tu les as bousculés. Je t'ai regardé entrer dans les flammes et en ressortir avec ta gourmette, ta chaîne avec ta croix et tes costumes. Un héros ! Tous les voisins t'applaudissaient. Tu n'avais pas récupéré une seule chose à ma mère ou à moi. J'avais douze ans et je n'avais plus rien. *Niente !*

Et maintenant que j'ai trouvé un peu la paix, cette fille arrive, cette « Juliette cherche l'amour » ! Elle débarque avec ses rêves ridicules et ça fait tourner la tête aux autres. Quand je l'ai vue avec sa collection de chaussures de starlette, je me suis demandé ce qu'elle venait faire dans notre immeuble.

Giuseppina se lève, sa bouteille à la main, elle monte en claudiquant la volée de marches qui la sépare de l'appartement de Juliette au deuxième étage. Sa jambe est plus lourde à traîner aujourd'hui.

— Carla est partie méditer dans son ashram et elle nous a mis le diable à sa place. On m'a pas demandé mon avis avant de l'accepter. Et la Reine qui a dit oui ! Je t'en foutrais des reines, moi. C'est plus une monarchie, c'est Mussolini qui revient au pouvoir !

Elle crie à travers la porte :

— Qu'est-ce que tu crois, la nouvelle ? J'ai pas le bon ticket et tu l'auras pas non plus ! C'est pas parce que tu as la jeunesse et les rondeurs que tu vas y arriver. Ça se passe pas comme ça. Moi aussi, j'ai été jeune et qu'est-ce que ça m'a apporté ? Des gifles ! *Povre illusa*, personne me fera changer d'avis, surtout pas une gamine qui connaît rien à la vie. C'était mieux avant que t'arrives. Reprends tes valises, nous on attend le retour de Carla.

Giuseppina redescend au premier, trébuche, se rattrape à la rampe, rentre chez elle, ferme la porte, boit une dernière rasade au goulot, jette la bouteille contre le mur. Le reste du vin dégouline sur la tête et les épaules de Pinocchio.

— Moi j'ai pas renoncé, c'est l'amour qui veut pas de moi !

## 17

Comme chaque mardi depuis plusieurs semaines, Juliette monte les courses de la Reine. La liste commence invariablement par six bouteilles – en verre – d'eau de Volvic, et la benjamine, qui a toujours préféré le cinéma à la gymnastique, grimpe les étages avec deux lourds paniers à bout de bras.

En arrivant sur le palier, elle reconnaît les *Variations Goldberg* de Bach et sourit en pensant au film *Le Patient anglais,* dont elle pourrait aisément refaire le montage, tant elle connaît chaque séquence par cœur. Elle frappe et pousse la clenche avec le coude, entre, et avant même d'aller déposer son chargement dans la cuisine, jette un coup d'œil aux bambous sur la terrasse pour voir si un début de bourgeon ne pointerait pas le bout de son nez.

*Ouf ! En même temps, si la floraison c'est tous les cent vingt-sept ans…*

Debout au milieu de la pièce, la Reine darde ses yeux violets sur Juliette.

— Alors, il paraît que la nuit, tu vas aux garçons.

*On m'a balancée !*

— Qui vous l'a dit ?

— J'ai des antennes.

*À trois étages de distance ? Des antennes bioniques !*

— Ils ne sont pas entrés ici.

— Il ne manquerait plus que ça !

— Vous exagérez avec votre règlement insensé. De quel droit empêchez-vous les locataires de cet immeuble de tenter à nouveau leur chance ?

— Elles sont venues se mettre à l'abri. Je les protège.

— Non ! Vous les endoctrinez.

La rebelle pose brutalement ses paniers à terre. Les bouteilles de Volvic s'entrechoquent.

— Elles auraient pu faire une pause, soigner leurs blessures, reprendre des forces et repartir. Ici, elles sont en exil. Vous ne pouvez pas leur faire ça, l'amour c'est tout !

— J'ai vécu mille…

— Je sais, « mille hommes, mille étincelles ». Mais tout le monde n'est pas comme vous, une diva qui a collectionné les amants.

— Tais-toi Juliette ! Tu ne sais pas ce que c'est la vie d'une étoile. Un soir à New York, le lendemain à Tokyo.

126

— Ça fait combien d'années que vous avez arrêté les tournées ?

Juliette regarde l'immense photo en noir et blanc qui occupe la moitié d'un mur : le portrait d'un homme qui rit comme un fou. Elle lit pour la première fois les mots écrits sur son visage : « *Qui a perdu la raison. Faire le fou. Histoire de fous. Fou de joie. Fou furieux. Une maison de fous.* » *Fou rire* est en rouge.

— C'est beau un homme qui rit aux éclats... En somme, maintenant, celui-là vous suffit ?

— J'ai mes raisons.

— Elles, elles sont beaucoup trop vivantes pour renoncer à l'amour.

— Tout le monde n'est pas comme toi, affamée...

— Pas comme moi ! Et Giuseppina qui criait derrière ma porte l'autre soir ? Personne n'a bronché. Comment expliquez-vous cette rage ? Si ce n'est qu'elle en crève de ne pas aimer, de ne pas être aimée.

— Ne te mêle pas de ça, petite.

— Je me mêle de ce que je veux. Vous les gardez auprès de vous, comme des sujets prosternés devant vos décrets, parce que ça vous arrange, pour ne pas vieillir seule. Vous ouvrez la fenêtre au bourdon mais les filles, vous leur coupez les ailes !

— Elles s'envolent tous les jours et elles reviennent chaque soir de leur plein gré.

— Mais à leur retour vous vérifiez s'il n'y a pas de clandestins cachés dans leurs bagages ou leurs pensées.

La Reine prend appui sur l'accoudoir de son canapé et s'assied en grimaçant.

Juliette ne se laisse pas attendrir par la mise en scène. À moins que la grimace ne s'adresse à son insolence.

— Vous-même, vous pourriez encore tomber amoureuse.

— Oh ! Moi !… C'est trop tard…

— Ce n'est pas votre âge qui vous empêche de séduire, c'est votre orgueil. Vous allez finir en statue de sel.

— Je vais finir comme toutes les danseuses qui ont désarticulé leur corps pour dépasser les limites, pour atteindre la perfection. Une statue de sel, sans sel et sans chocolat. Imagine une vie sans chocolat. De toute façon les tutus n'ont pas de poche !

*Si un homme me prenait dans ses bras, j'aurais moins envie de chocolat.*

— Des années de sacrifices pour quelques minutes d'applaudissements, soupire la Reine. Un épuisement enchanteur. Il n'y a plus d'énergie pour l'amour physique. Et puis je vais t'avouer quelque chose… après tant d'extases sur scène, il faut des dieux pour nous faire désirer d'autres jouissances. Ravel disait : « Ma seule maîtresse c'est la musique. » Moi, ma seule histoire d'amour, c'est la danse.

— Et Fabio ?

— Fabio…

Le visage de la Reine s'éclaire joliment.

— Sartori. C'était le directeur de l'Opéra de Milan… Un homme exceptionnel, raffiné, cultivé… Nous partagions la passion des lacs italiens, du bel canto, des palaces démodés…

*J'adorerais rencontrer un bel Italien avec une maison en Toscane : une longue table sous les arbres, une famille nombreuse, bruyante et rieuse.*

— L'amour et la routine ne s'entendent pas, poursuit la Reine, comme si elle lisait dans les pensées de Juliette. Si j'étais restée toute ma vie avec Fabio, il se serait endormi tous les soirs du même côté du lit et j'aurais su qu'il avait rejoint Morphée à ses ronflements familiers, que j'aurais fini par supporter, avec des boules Quies. J'aurais connu la panne de désir, forcément au bout de vingt ans. Qui descend la poubelle ? Qui remplit la feuille d'impôts ? Les mêmes jeux de mots, le regard qui brille moins, l'usure de tout. « Étonne-moi », dit la femme au mari assis dans son fauteuil, comme dans un dessin de Sempé.

— Vous avez eu la chance de croiser un homme rare et vous avez eu peur.

La Reine esquive un nouvel affrontement. Elle préfère parler de ses souvenirs.

— Il a deviné que j'allais le quitter et il est parti avant. Il m'a offert l'immeuble et s'est volatilisé, affolé par cette passion qui le bouleversait…

Elle remonte difficilement ses jambes pour enserrer ses genoux entre ses bras et dit plus bas :

— Je suis peut-être passée à côté d'un autre bonheur.

Le silence s'installe entre les deux femmes. Juliette n'avait jamais vu la Reine en proie au doute. La danseuse chancelle. Juliette peut la regarder vaciller mais pas tomber. Elle vient s'asseoir au pied du canapé.

— La première fois que mon père m'a vue danser, j'avais onze ans. Ma mère venait d'accoucher de mon frère, elle était à l'hôpital. Après la représentation il m'a emmenée dîner dans un très beau restaurant. J'ai découvert la grande cuisine, le cristal, le Romanée-Conti, les serveurs empressés. Et puis nous sommes allés dans un magasin acheter une jolie robe en velours. Il disait à tout le monde : « Ma fille est une exquise danseuse ! » Huit jours après j'ai eu mes premières règles. Son regard m'avait rendue femme.

J'ai continué de danser pour lui plaire, pour l'entendre à nouveau dire : « Ma fille est une exquise danseuse ! » Il est mort brutalement, j'avais vingt ans. Dans le journal on avait écrit « inopinément ». Le charme, la courtoisie, une voix de basse, le verbe élégant, toujours le mot juste… Quel homme… mon Papili !

— Vous avez une photo ?

— Dans ma chambre. Tu verras… il s'incline en souriant devant une petite fille en tutu qui lui fait la révérence.

*Moi je n'ai jamais eu de Papili.*

## 18

Tous les jours en allant acheter le pain, Simone passe devant la librairie. Parfois elle entre, parfois elle regarde simplement les livres présentés dans la vitrine. Elle connaît bien cet endroit. L'odeur des vieilles étagères en bois ciré et la musique classique l'apaisent. La jubilation dans la voix de Marcel, quand il parle de sa dernière trouvaille comme d'un bonbon délicieux qu'il vient de déguster, l'enchante.

Son premier livre, c'est sa maîtresse d'école qui le lui avait offert : *Les Malheurs de Sophie.* Une petite campagnarde qui aime lire, ce n'était pas courant. Ses parents n'auraient pas compris. Alors, elle se cachait la nuit dans son lit avec une lampe de poche. Elle a gardé l'habitude de la lecture sous la couette.

Aujourd'hui elle est venue chercher un cadeau pour la Reine : une biographie de Noureev, l'histoire des Ballets russes… quelque chose qui pourrait lui plaire. Mais elle commence par lire les fiches coup de cœur de Marcel. Pour le plaisir, parce qu'il écrit bien. On a toujours envie d'en acheter dix. Elle résiste pourtant à la tentation.

Un titre attire son attention dans le rayon beaux-arts. C'est le catalogue de l'exposition « Masculin/Masculin » du musée d'Orsay. L'histoire de l'homme nu dans l'art, de 1800 à nos jours. Elle effleure la rugosité de la couverture, l'ouvre, passe et repasse la main sur le velouté des pages intérieures où s'exposent les corps, photographiés en couleurs ou en noir et blanc. Les ombres et les lumières soulignent les pleins et les creux. Elle suit du bout des doigts l'harmonie des courbes, s'arrête sur les muscles noueux.

Depuis combien de temps n'a-t-elle pas touché un homme nu ? Le dernier, c'était Carlos, le professeur de salsa, dix ans plus tôt, et ça s'était passé dans le noir. Et là, cet homme. Alangui, abandonné, offert à la caresse de son regard. Un dos qui n'en finit pas, des épaules rondes, une peau lisse, douce. Simone glisse les doigts sur la page, suit les contours du corps, tourne autour du nombril.

Elle aimerait modeler un homme dans la terre glaise comme elle pétrit le pain. Lui donner forme avec ses mains, le créer à son goût. Il serait étendu, les bras sous la tête, elle le retournerait, marquerait le creux des reins, soulignerait le galbe de la jambe, le renflement de sa hanche, elle façonnerait la protubérance des fesses, le modelé voluptueux du sexe.

Elle jette un coup d'œil vers Marcel – plongé dans une vieille encyclopédie, des petites lunettes en acier sur le bout du nez – puis ramène son regard à l'homme nu du livre d'art : un corps humain jailli du marbre froid.

Tout à coup, elle imagine qu'il est endormi. Et qu'elle est là, dans l'image, avec lui. Sa présence le réveille. L'homme immobile tourne la tête. Lentement. Il la voit, l'invite à se coucher. Elle s'allonge à son côté. Leurs jambes s'entremêlent. Il tend la main. Esquisse une caresse sur son sein.

Elle referme le livre brusquement, va farfouiller dans le rayon jardinage, feuillette d'autres ouvrages sans les voir, revient à l'allée beaux-arts, ouvre à nouveau le livre. L'homme de marbre est là. Il n'a pas bougé. Il l'attend.

Son sexe est tendu, vivant, gonflé de désir, frémissant.

Simone pousse un grand cri silencieux.

Elle quitte la librairie sans dire au revoir, oublie d'acheter le pain, croise des promeneurs, passe devant la quincaillerie des frères Leroy sans répondre à leur signe de la main, persuadée que ce qui vient de se passer est inscrit sur son visage en lettres de feu. Dès qu'elle franchira la grille de l'immeuble, elle sera prise en flagrant délit de convoitise, de sensualité, de plaisir, par une des « renonceuses ». Que font-elles du désir ? Simone se sent coupable. Elle doit se cacher, reprendre ses esprits, oublier ce moment d'égarement, rester fidèle à son engagement. Non ! C'était délicieux, elle a envie de recommencer. Pas avec une photographie. « On ne saurait retenir le chat quand il a goûté à la crème. »

# 19

Elles ont décidé qu'elles accompagneraient Rosalie une fois par semaine à la piscine. Pour sculpter leurs corps de rêve, disent-elles en riant.

Simone y pense depuis un moment. Elle se demande si elle peut encore séduire… Elle sait que l'Apollon du livre d'art ne sera pas là, qu'il faut revenir à des désirs plus modestes. Elle sait qu'elle ne sera pas à son avantage avec le bonnet obligatoire et son corps qui n'a plus vu le soleil depuis le mois d'août de l'année précédente. Mais elle ne veut pas tromper le regard des hommes. Elle leur apparaîtra comme elle est. Une femme de cinquante neuf ans qui nage dans une piscine municipale.

Juliette est heureuse de se joindre aux activités des abeilles. Dès les premiers jours, elle a eu envie d'appeler comme ça les habitantes de la Casa Celestina, peut-être à cause de la Reine, qui vit au dernier étage comme dans une ruche. Elle est ravie de les accompagner au cinéma ou au marché, d'apprendre le nom des légumes oubliés avec Rosalie ou Simone et d'aller dire bonjour à Giuseppina sur son stand aux Puces. Elle aime l'odeur de pain grillé et les cris des mouettes dans la cage d'escalier. Ça lui plaît de rentrer le soir dans une maison habitée et de passer ses dimanches à bourdonner. Mais ça ne tient pas chaud la nuit.

En face de la grille de l'immeuble, le rideau s'écarte à la fenêtre du premier étage.

— Tiens ! Monsieur Barthélémy, dit Rosalie. Nous sommes devenues sa principale distraction. Il s'ennuie tellement depuis que sa femme n'est plus là.

Elles croisent Hervé, son père, sa mère, sa sœur et le grand caniche blanc à pompons de sa sœur, en file indienne – la famille Century au grand complet – et Juliette se dit qu'elles aussi doivent former un drôle de groupe. Selon leur habitude, les frères Leroy, dans leurs tabliers gris, font signe de la main quand elles passent devant la quincaillerie.

Il est trop tard pour faire demi-tour, pense Giuseppina. Je leur ai dit jeudi prochain et c'est aujourd'hui. C'est Simone qui a choisi le jour. Elle a un attrait particulier pour le jeudi. Peut-être parce que sa mère lui racontait souvent les jeudis de congé dans la campagne vosgienne, quand elle partait en raquettes à la chasse aux lapins dans la rudesse de l'hiver. Les trois autres semblent détendues. Forcément. Il n'y a pas de raison qu'elles ne le soient pas. Elles marchent devant en plaisantant.

Simone, en bonne montagnarde, avance d'un pas décidé.

Juliette se demande si l'horaire est bien choisi.

Rosalie se réjouit de retrouver des sensations familières.

La piscine a un charmant côté rétro avec ses carrelages en faïence, sa verrière et surtout ses cabines individuelles à l'ancienne, qui l'entourent sur plusieurs étages. C'est le maître-nageur qui ouvre les portes avec son passe.

— Depuis qu'ils font des nocturnes, c'est devenu le lieu de rendez-vous des cadres dynamiques, des crawleurs insomniaques et des gays, dit Rosalie.

*Des gays ! C'est pas gagné, un fiancé pour l'été !* Tous ces gens qui aiment nager, pense Giuseppina. Tu parles d'un hobby !

— Moi j'ai froid, je vais d'abord boire un café et je vous regarde de la cafétaria, bougonne-t-elle.

— Viens avec nous, insiste Rosalie.

Mais pourquoi je ne leur ai pas dit que j'avais peur de l'eau ? se demande Giuseppina. Je suis prise au piège, comme les lapins de la mère de Simone.

Elles avancent doucement au bord du bassin avec les sacs en plastique bleu, ridicules, sur leurs chaussures et entrent dans quatre cabines contiguës.

— OULÀ ! C'EST PAS GRAND !

— Parle moins fort.

— J'ai l'impression d'éplucher un oignon, la dou-
doune, les bottes, les collants.

— Pas pratique avec les bras le long du corps.

*Je me demande si elles achètent encore de la lingerie*
*sexy.*

— Mes cheveux ne rentrent pas dans le bonnet.

— Moi, c'est mon corps qui veut pas rentrer dans
le maillot.

— Arrête les pâtes !

— Ha ! Ha ! Une Sicilienne qui arrête les pâtes !

Simone est prête avant les autres. Elle les attend en
regardant autour d'elle. L'eau est à vingt-six degrés.
C'est affiché sur le tableau à côté du maître-nageur. Il
est assis sur une chaise en fer. Il surveille, sifflet en ban-
doulière. Elle regarde ses mains croisées sur son short
orangé. Elle fixe ses avant-bras solides et rassurants.
Elle jette un coup d'œil sur son front, large et lisse. Lui
sourira-t-il quand elle agrippera l'échelle située en face
de la chaise en fer ? La suivra-t-il du regard quand elle
marchera prudemment sur le carrelage bleuté pour
rejoindre les douches des femmes ? Et quand elle se
fera ouvrir la porte de sa cabine tout à l'heure, lui fera-
t-il un commentaire sur son dos crawlé ?

Les autres la rejoignent. Rosalie en maillot une
pièce, Giuseppina emballée dans une grande serviette,
Juliette en bikini turquoise, son téléphone à la main.

— Non, mais regardez-nous ! Une pulpeuse, une
frileuse, une sportive, et une vieille, dit Simone.

138

— Dommage que Carla ne soit pas là.

— Attendez, je prends une photo, dit Juliette.

— C'est pour la couverture de *Vogue ?* s'esclaffe Simone.

— C'est pour la Reine. Ça va lui plaire.

— Tu montes souvent au cinquième ? demande Giuseppina.

Dans le bassin, le cours de gym aquatique provoque des vagues. Que des femmes ! Quinze courageuses en train de lutter contre la force de l'eau et les poignées d'amour.

*Pour quoi faire tous ces mouvements ridicules ? Pour plaire, forcément !*

— On s'inscrit ? propose Juliette.

— Pas aujourd'hui, répond Giuseppina du tac au tac.

Juliette regarde les portes des cabines. Cinquante sur chacun des trois étages. Chaque fois qu'une porte s'ouvre, c'est comme si elle cliquait sur un profil de site de rencontre.

*Si la personne a déjà son bonnet sur la tête, ses lunettes en plastique et son pince-nez, c'est d'office une mauvaise surprise.*

Une princesse noire apparaît. Les fesses hautes, la peau lisse, elle promène ses jambes interminables le long de la piscine, insouciante de l'effet qu'elle produit sur Juliette et ses rondeurs.

*C'est pas juste ! C'est les gènes !*

Un petit garçon en maillot tricolore et brassards jaunes heurte Rosalie. Il se noie dans ses pleurs. Le maître-nageur, occupé à donner un cours, ne l'a pas vu. Rosalie s'agenouille sur le carrelage mouillé pour être à sa hauteur.

— Comment tu t'appelles ?

— Triiiii... stan.

— À quoi elle ressemble ta maman, Tristan ?

— Jo... lie.

— Elle va revenir, elle doit être partie faire pipi ou chercher sa caméra pour te filmer. Montre-moi comment tu souris.

Tristan fait une horrible grimace.

La maman arrive – une petite rougeaude avec des dents de travers –, serre son fils contre elle, dit un vague merci et ils sautent dans l'eau en riant.

Le petit Tristan a oublié Rosalie, qui se retrouve seule. Elle pense à Flore, Benjamin et Ariel, les enfants dont elle rêve.

— Je vais nager, moi. C'est quand même le concept, à la piscine.

Le meilleur moment pour Rosalie, c'est la première plongée tête sous l'eau. Elle a l'impression d'être un dauphin. Ça la lave de tout. Quand elle nage, elle arrête de réfléchir. Elle pense à son corps qui se détend, qui est bien.

Après, elle se sent propre, vidée, ciselée, prête à affronter la journée ou la nuit. Toutes les tensions ont disparu.

— Je te rejoins, dit Juliette.

Elle a remarqué une petite vieille qui hésite devant la cabine numéro sept. Son maillot flotte autour de son corps gracile, comme si elle avait rétréci. Elle est froissée, ses bras sont flétris. Les cheveux blancs noués en chignon, le bonnet à la main, elle marche à pas prudents.

*C'est moi un jour.*

Ces derniers temps, Juliette a l'impression que tout avance plus vite. Elle observe la vieille dame pour voir si elle ne glisse pas. Elle a envie de lui demander si elle a eu une belle vie, si elle a vécu une grande histoire d'amour. Elle est distraite par un grand brun qui avance vers elle.

*Il est pas mal celui-là avec son maillot noir. Est-ce qu'il va lever les yeux ? Non ! Il a l'air concentré, il est venu pour nager. Comme les autres. T'as pas intérêt à traverser les lignes, tu te fais assommer par une main palmée.*

Simone regarde l'horloge et décide de nager vingt minutes sans s'arrêter. À son rythme, ça fera trois cents mètres. Elle commence par des battements de pieds, accrochée à une planche. Elle a l'impression que ses jambes pèsent une tonne. Elle aurait dû mettre des palmes. Tout le monde la dépasse. Une mère et son fils en maillot tricolore sautent dans l'eau et l'éclaboussent. Elle lâche la planche. Le dos crawlé, c'était sa spécialité. Il y a des lustres ! Elle avance lentement, en espérant ne pas percuter quelqu'un. Ni le mur, au moment de faire demi-tour, avec beaucoup moins de grâce que les nageuses à la télévision. Elle jette de temps en temps un coup d'œil à l'horloge, trouve que les aiguilles n'avancent pas vite et termine son programme essoufflée. Vingt minutes, à son âge, c'est peut-être beaucoup pour une première fois. Elle tente d'envoyer au maître-nageur un message subliminal… qui le laisse complètement indifférent. Ce n'est pas pour aujourd'hui. Elle reviendra jeudi prochain. Elle a vu des maillots plus échancrés et plus colorés chez Monoprix. Qui sait ? Ils plairont peut-être à l'homme sur la chaise en fer. Si ce n'est pas le cas, elle fera une croix sur les jeudis.

Assise au bord de la piscine, Giuseppina regarde, dans les couloirs de nage rapide, les bras et les mains qui apparaissent et disparaissent. Un noiraud, taillé en V au-dessus d'un slip rouge en Lycra moulant et de petites jambes arquées, s'assied à côté d'elle.

— Tu ne nages pas ? Tes copines sont déjà dans l'eau, je vous ai vues arriver.

Il ressemble à son mari Luigi. Elle se demande ce qu'il lui veut.

— J'ai froid.

— Tu viens boire un café ?

— *Lascia mi in pace*[1].

— Dommage, t'es mignonne. Regarde-moi, je vais faire un salto arrière rien que pour toi.

---

1. Laisse-moi en paix.

Juliette, elle, nage en pensant à la vieille dame. Elle nage pour avoir la peau ferme en sachant qu'un jour, quoi qu'elle fasse, ce ne sera plus qu'un souvenir. Puis elle oublie la vieille dame, les hommes, son corps. Elle se laisse aller au plaisir de l'eau, de la fluidité. Se sentir légère, ça ne lui arrive pas souvent.

L'une après l'autre, elles rejoignent Giuseppina.

— Ça fait une heure que je vous attends.

— Tu étais en bonne compagnie !

— « Quand les coqs sont lâchés, rentrez vos poules », commente Simone.

— Un coq en slip rouge !

— Je gèle, dit Giuseppina.

— Pas étonnant, ton maillot est sec. T'as pas nagé !

— Si on allait au hammam ?

— Bonne idée. On va se faire frotter par Latifa.

— On a la peau toute douce après, renchérit Rosalie.

*À quoi bon la peau douce si personne ne la caresse ?*

Elles entrent dans un brouillard épais et cherchent à tâtons les banquettes chaudes.

— On se croirait à la montagne.

— Sauf qu'on ne voit pas les skieurs.

— Hou hou les gens…

Elles rient.

Juliette repense à son arrivée dans l'immeuble.

— Vous vous souvenez, la première fois qu'on s'est parlé ? C'était comme ici, sans se voir.

— On ne risque pas d'avoir oublié. « Un chat ça ne remplace pas un homme », c'est ce que tu avais dit.

— Et je le pense toujours.

Le brouillard reste silencieux.

— Mais vous, vous avez vraiment renoncé ? demande Juliette.

Le brouillard s'épaissit. Elle insiste.

— À vie ? Ou c'est comme un bail trois-six-neuf reconductible ?

C'est Simone qui répond la première.

— On ne peut jamais dire jamais.

Giuseppina crie.

— ON NE VA PAS ENCORE PARLER D'EUX !

— Renoncer à dire je t'aime ? s'obstine Juliette.

— On n'aime qu'une seule fois vraiment, soupire Rosalie.

— Et le désir ?

— Le désir fond, comme nous dans le hammam.

Juliette rit.

— Attention les filles ! Il sommeille et peut se réveiller d'un coup, comme un volcan endormi.

— Je n'ai pas envie de finir ma vie avec Jean-Pierre, murmure Simone.

— Ah ! Le désir… C'est un beau sujet !

Elles se taisent, stupéfaites. Une voix grave a parlé dans le hammam.

*Je pensais que c'était réservé aux filles le jeudi.*

— Le désir c'est l'Etna, le Vésuve, le Stromboli, poursuit la voix.

— Je croyais qu'on était seules, chuchote Rosalie.

— Alors comme ça, vous avez renoncé aux hommes ?

Simone resserre sa serviette autour d'elle.

— J'ai toujours mis les femmes sur un piédestal. Les femmes sont plus courageuses, plus vraies. La vie sans femme, ce ne serait pas la vie. J'aime ma femme.

*C'est quoi cet ovni qui dit j'aime ma femme dans un hammam ?*

— La femme, c'est un volcan, c'est merveilleux.

Un rire contenu s'échappe du brouillard.

— C'est magnifique le désir au quotidien.

Elles ne rient plus, elles se sont rapprochées l'une de l'autre, épaules contre épaules, leurs visages tendus vers la voix.

— Je crois à la fidélité, à la sincérité. J'aime l'idée de finir ma vie à côté de la femme que j'ai choisie et qui m'a dit oui.

Un silence s'installe dans le hammam.

Elles scrutent le brouillard, tentent d'apercevoir une silhouette. On entend la porte qui s'ouvre et se referme. Juliette se lève, tâtonne pour trouver la sortie, pousse la porte, regarde à droite, à gauche. La voix grave a disparu.

Clac clac clac clac. Le maître-nageur ouvre les quatre cabines. Juliette se retrouve nez à nez avec son reflet dans le miroir : blême, les yeux rouges, les cheveux aplatis et humides, la trace des lunettes sous les yeux.

*Je comprends que les hommes nagent sous l'eau.*

## 20

C'est toujours quand elles sont assises dans le canapé en velours rouge que la conversation devient plus intime. Depuis leur accrochage, un nouveau rituel s'est installé. Chocolat chaud et madeleines, servis dans de ravissantes tasses et assiettes en porcelaine fine et dégustés en silence. Puis la Reine entame le débat du jour.

— Tu te promènes encore sur la Toile la nuit ?
*C'est la peine capitale si je dis oui.*
— Oui.
— Et ils se battent en duel pour toi ?
*Trois ans avec sursis.*
— Y a pas de danger. Je ne suis pas très douée.
— Tu connais la différence entre un ordinateur et Al Pacino ? Al Pacino, c'est un animal, en chair et en poil !
*Pourtant, il y avait des espèces rares. Un vrai zoo !*

— J'adore Al Pacino !

— Rappelle-toi la scène du tango dans *Scent of a Woman,* quand il danse avec cette inconnue dont il aime le parfum, s'emballe la Reine, qui se lève et glisse sur le parquet, une main sur la hanche, un bras tendu vers l'horizon, en tenant un partenaire invisible dans ses bras.

Elle s'arrête, fait une grimace de douleur, se frotte l'épaule et se rassied. Juliette fait semblant de rien.

— Mais si tu n'as pas encore renoncé…

Juliette regarde la Reine droit dans les yeux.

— Si je renonce, je suis par terre.

— Comment ça, par terre ?

— C'est mon centre de gravité.

— Marcher, danser, tomber, vieillir, c'est une succession de déséquilibres.

— Parfois il faut apprendre à tenir debout seule… c'est si difficile. Comment faites-vous sans la danse ? Sans les hommes ?

— C'est une autre vie… écouter les cigales, aimer passionnément les bambous. Les choses qu'on ne voyait pas apparaissent, les plaisirs minuscules grandissent.

— Je voudrais que quelqu'un vienne à ma rencontre.

— L'homme n'est pas un balancier. L'homme c'est le jeu, l'imprévu, un moment de folie…

— Moi, je cours pour ne pas tomber. J'ai peur du vide.

— Il semble que pour l'instant tu as croisé de drôles de rois, avec des couronnes en papier.

*Qui s'envolent au premier coup de vent.*

— Suis-moi.

Juliette entre dans un dressing de théâtre. Tout autour de la pièce, des armoires aux portes transparentes. Des dizaines de tenues sont rangées par dégradés de couleur : des blancs, des beiges, des gris très doux, des fuchsias éclatants, jusqu'au prune foncé. Les escarpins, les ballerines, les bottillons ont tous leur place. Juliette pense à son tas de chaussures, en vrac, au milieu de sa chambre. Deux tutus sur cintres sont suspendus. L'un a le corsage recouvert de plumes d'oiseau émeraude, l'autre est en velours grenat.

*C'est son musée !*

— Assieds-toi là, dit la Reine à Juliette en lui indiquant un pouf en fourrure.

— Qu'est-ce que tu vas mettre pour ton prochain rendez-vous ? Pas quelque chose de neuf ! Une tenue avec laquelle tu as déjà passé de bons moments, qui a déjà fait ses preuves.

*Mon vieux jogging tout détendu aux pattes trop courtes.*

— Tu sais, le monde de la danse est plein de superstitions. Une ballerine m'a dit : « Si vous enfilez un costume du mauvais côté, surtout ne changez rien, vous risqueriez un accident. » Un jour j'ai dansé *Casse-Noisette* avec le tutu à l'envers.

*Et ma culotte, si je l'enfile à l'envers, je la retourne ou pas ?*

— Je portais souvent une bague de ma grand-mère, poursuit la Reine. Mais chaque fois que je l'avais

148

au doigt, je ne passais pas une bonne soirée. Elle reste dans son écrin, maintenant. Et si tu as oublié quelque chose, ne fais pas demi-tour. Il y a un ange qui te suit. Si tu reviens à la maison, il te lâche.

*Un ange qui vient avec moi au rendez-vous, j'aime bien cette idée.*

— La séduction passe par le mouvement. Il ne faut pas dissimuler tes rondeurs ; affiche-les avec élégance. Montre ton cou tant que tu peux encore le faire. Pour moi c'est trop tard, le cygne s'est envolé.

— Vous…

— Porte des choses qui te ressemblent, de la couleur, de la gaieté.

La Reine lui tend un chemisier en soie mandarine au décolleté vertigineux. Juliette cherche un miroir. Le visage de la Reine change d'expression.

— Ne cherche pas, il n'y en a pas. Tu l'essaieras plus tard.

Un soir, dans une crise de rage, elle avait cassé tous les miroirs de l'appartement, du plus petit au plus grand, terrifiée par la vieille femme déformée qui avait pris sa place dans la glace.

*Et ses conseils de séductrice ? C'est pas avec un chemisier en soie, même mandarine, que je vais les ensorceler.*

— Dis-toi que ton plus bel accessoire, c'est ton regard. Tu plonges tes yeux dans les siens.

*Moteur ! On tourne !*

— Tu ne parles pas… et quand il pose une question… tu attends avant de répondre.

Elle s'arrête.

— Tu attends encore… et puis tu le surprends avec quelque chose d'abracadabrant. Les hommes ont besoin d'être emmenés là où ils ne s'y attendent pas. Insaisissable, telle une libellule, ils te pensent là et tu es déjà ailleurs.

*J'ai tout à fait l'air d'une libellule.*

— Attention ! C'est une recette pour un soir, pas un pot-au-feu pour la vie.

*Si c'est pour terminer, sans miroir, dans un appartement au sommet d'un immeuble, je vais réfléchir.*

La Reine s'arrête net devant Juliette.

— Tu profites de l'instant et tu pars avec le butin.

*Elle est bien barrée, quand même. J'aimerais que Max soit une mouche pour voir ça. Ah non ! Pas une mouche, elle la jetterait par la fenêtre.*

— Le butin ? Quel butin ?

— Les yeux des hommes qui s'allument, le crépitement électrique, l'incendie.

*Le court-circuit !*

— N'oublie pas que c'est toi qui mènes le bal.

— Moi, j'aime que ce soient les hommes qui me fassent danser.

— C'est parce que tu débutes.

## 21

Comme chaque nuit, Juliette a laissé la radio allumée pour ne pas se réveiller dans le silence.

« Les traces… attention aux traces… les traces de pas, les traces de nous… vous êtes sur France Inter, "Comme on nous parle"… c'est parti. »

Juliette implore la radio, en resserrant la couette douillette autour d'elle.

— Encore un moment.

Dans une brume ouatée, elle sourit en entendant la voix de Pascale Clark, qui interroge son invité. « Monsieur Maalouf, vous écrivez dans *Les Désorientés* : "Fallait-il partir ? Fallait-il rester ? Se battre ? Oublier ?" Avez-vous réussi à apprivoiser votre identité ? La panthère, comme vous l'appelez… »

Juliette, elle aussi, se demande d'où elle vient, cherche des traces. Ouvert à côté d'elle, son livre *Le Judaïsme pour les nuls*. Au pied du lit, l'ordinateur,

*Studio Ciné Live,* une biographie de Pedro Almodó-
var, *L'Écume des jours,* des emballages de chocolat
vides et au milieu du bazar, *Le Rangement de A à Z.*

« 23 septembre 2013, Saint-Constant, il va faire
beau et dans le studio les fenêtres sont déjà ouvertes. »

*Le vingt-trois septembre ! C'est peut-être le dernier
jour de célibataire du reste de ma vie ! Qu'est-ce que je
vais lui raconter ? Pourvu qu'il ne me demande pas de
parler de ma famille et pourquoi je suis seule à trente
et un ans. Qu'est-ce qu'elle dirait, Pascale Clark ? Elle
ne se pose sûrement pas ce genre de questions. C'est elle
qui les pose, les questions.*

Depuis qu'elle a vu *Cendrillon,* les films emmènent
Juliette dans un ailleurs plus joli. Enfant sans parents,
la certitude qu'elle aussi, un jour, serait aimée comme
dans les contes de fées et les films d'amour l'a gardée
vivante. Mais son Prince charmant, elle ne l'a pas
encore trouvé. Elle se demande s'il existe. Pour le
Père Noël, elle sait, depuis qu'elle a trois ans. Son
père lui avait dit un jour de décembre : « Je ne veux
pas que ma fille croie à toutes ces supercheries. » Le
lendemain en classe, elle l'avait répété à tout le monde.
Un petit garçon s'était mis à pleurer, un autre à hur-
ler : « JE VEUX MES CADEAUX. » L'institutrice
s'était fâchée. Juliette avait été punie.

Juliette abandonne la chaleur de la couette, enjambe
sa petite vie éparpillée et se regarde dans le grand

miroir baroque au-dessus de la cheminée. Elle aurait aimé se réveiller longue et mystérieuse. Elle voit une femme aux cheveux acajou indomptables et aux formes généreuses.

*Est-ce que j'ai le bon format pour lui plaire ?*

Elle cherche le message dans son portable : « Plus que vingt heures avant de vous découvrir. Je retiens mon souffle. Zouzou. »

— Est-ce que tu vas me bouleverser, Zouzou ? chuchote-t-elle à son téléphone avec une grimace… Est-ce qu'on va quitter le lieu du rendez-vous main dans la main ?

Elle place un espoir immense en ce Zouzou, comme s'il était le dernier homme sur terre. Elle ne veut plus de provisoire ni d'un spécimen sur mesure qui comblerait son manque au millimètre près. Elle ne veut plus de rêves géants et de réalité minuscule. Elle ne veut plus d'urgences qui se croisent. De mâles aux sexes raides et aux promesses floues. De nuits sans lendemains. Elle ne veut plus être un lieu de passage. Elle veut calmer sa course folle, poser ses valises, retrouver le même homme à côté d'elle chaque matin. Ouvrir les rideaux et dire à son chéri : « Qu'est-ce qu'on fait aujourd'hui ? » Elle veut rentrer le soir, qu'il lui demande comment s'est passée sa journée et lui poser la même question en retour. Un homme imparfait, des mots doux, des gestes tendres. Après, elle ne sait pas. On verra pour les grandes effusions, les serments, le coup de foudre avec orchestre symphonique, la grande histoire d'amour en couleurs. Elle veut voir le début du film, pas le générique de fin.

*Assez gambergé, une douche très chaude.*

Laissant un chemin de gouttelettes sur le plancher, Juliette traverse l'appartement pour prendre une serviette sur une chaise et se sèche longuement, les yeux fermés. Le linge propre et doux a toujours eu sur elle un effet rassurant.

Elle se rappelle les conseils de la Reine : « Surtout pas quelque chose de neuf. »

*J'avais pensé à mon vieux jogging. Impossible, on dirait que je fais une taille 48 là-dedans.*

Elle enfile sa lingerie préférée, son vieux jean, le chemisier en soie mandarine de Son Altesse Royale avec l'espoir qu'il lui porte chance, relève ses cheveux et les attache en chignon.

*De toute façon, dans trois minutes, je ne pourrai plus rien maîtriser.*

« Le groupe Muse chante *Feeling Good.* On vous le souhaite et en plus c'est vendredi », fredonne la journaliste guillerette.

Juliette esquisse un sourire. Cette chanson est un signe, le rendez-vous va bien se passer. En plus, c'est le jour de la Saint-Constant.

Elle empoigne son grand sac, y jette pêle-mêle deux autres tuniques, un tube de rouge à lèvres, un flacon de parfum, un cahier, trois stylos à bille, son téléphone, une tablette de chocolat. Elle regarde les dizaines de paires de chaussures en bataille sur le plancher, hésite entre les beiges et les noires, choisit celles qui lui allongent le plus les jambes : ses sandales rouges aux talons improbables – féminines et incomfortables, dirait Max.

Elle saisit sur la cheminée la carte postale avec les montagnes enneigées du Rajasthan, arrivée la veille. « On ne fait pas un voyage, c'est le voyage qui nous fait, nous défait, nous invente. Ganesh, Shiva et tous les dieux d'ici m'accompagnent. Dans ce pays les gens tressent des guirlandes de jasmin pour honorer les divinités, moi je tresse des guirlandes de gratitude en pensant à ceux que j'aime. *Yaniké Shandoshan hano : I'm happy !* T'inquiète, ma Juliette, je ne suis pas en plein délire mystique. À dans trois mois. Baisers. Carla. »

Juliette glisse la carte dans son sac, attrape un cardigan, effleure en sortant la mezouzah qu'elle a fixée le jour de son arrivée au chambranle de la porte d'entrée, descend trois marches, remonte dans l'appartement, jette les tongs dans son sac, claque la porte, dévale l'escalier, oublie de fermer la grille de la cour, se retourne, lance un coup d'œil à l'immeuble.

*Adieu les filles ! Moi, je n'ai pas envie de renoncer.*

## 22

Simone a deux choses en tête aujourd'hui : une grande nappe de la Reine à faire nettoyer et son fils à qui elle a envie de parler. Elle y pense depuis plusieurs jours. Elle est déjà passée trois fois ce matin devant la vitrine de la laverie-blanchisserie où travaille Diego. Elle profite d'un moment calme pour entrer.

Il l'a vue arriver. À son air digne et sa démarche raide, il se doute du motif de sa visite.

— Bonjour, mon fils.

— Salut, m'man.

D'habitude elle l'appelle « Pioupiou » mais pour les choses sérieuses, c'est toujours « mon fils ».

— Je suis triste.

— Je bosse. Tu vois bien.

— T'inquiète pas, j'ai le temps.

Simone n'est pas une mère classique. « Marginale », dit Diego quand elle l'énerve et qu'il veut la blesser.

« Comment veux-tu que je rentre dans le rang avec un modèle pareil ? »

Elle l'a trimballé partout ; ils ont partagé des déménagements, des appartements à repeindre, des changements de boulot, des fins de mois sur la corde raide, la passion des livres et quelques pétards. Ils s'engueulent mais ils s'aiment.

Elle ne supporte pas qu'ils restent fâchés trop longtemps. Alors elle fait toujours le premier pas. Lui est irascible, plus têtu. Plus argentin.

Elle s'installe sur une chaise en plastique et le regarde travailler. Ses gestes sont précis et délicats. Quand il vide la machine n°7, le corps penché sur le panier en plastique, elle se lance.

— Tu m'en veux toujours ?

— Oui.

— Parlons-en.

— C'est pas le moment.

— C'est jamais le moment.

Elle voudrait l'aider à vider les machines mais elle n'ose pas le lui proposer. Alors elle attend et elle le regarde.

Elle se demande toujours comment elle a pu engendrer un fils aussi racé, elle qui est si ordinaire. Depuis quelque temps, elle vit moins facilement l'approche de la soixantaine.

Personne ne les prendrait pour mère et fils, se dit-elle. Elle, cheveux gris courts, pas maquillée, un pantalon masculin, une chemise repassée à la va-vite, des baskets, qui ne lui donnent pas l'air jeune pour autant. Lui, un jean qui descend sur ses hanches, un tee-shirt blanc déchiré au coude. Il ressemble à l'Anglais sexy qui se déshabille au milieu de la laverie sous le regard ébahi des ménagères dans une publicité pour le Levi's 501. La mèche en bataille qui tombe sur ses yeux noirs brillants, il est naturellement beau. Un étalon, comme son père.

Enfin, il s'assied sur une chaise en face d'elle, entre les séchoirs et la calandreuse.

— Chaque fois que j'ai une petite amie, je ne peux pas l'emmener chez ma mère. Cette fois avec Laura, c'est sérieux. J'y tiens. Elle va trouver ça étrange.

Laura pense, Laura dit, Laura cuisine la quiche comme personne. L'avis de Laura va devenir important, se dit Simone. La première fois qu'elle a vu son fils regarder une femme avec des yeux admiratifs, ça lui a fait un truc bizarre au creux du nombril.

— Vous êtes toujours aussi folles ? Vous avez peur des hommes ou quoi ? T'as pas su en garder un seul. Même pas mon père !

Il se lève, sort les draps de la calandreuse, continue à travailler en parlant. Simone se demande qui lui a appris à plier les draps comme ça. Pas elle.

— C'était quoi, alors, ces films d'amour que tu me faisais voir quand j'étais petit, en me disant : « Regarde mon chéri, comme c'est beau » ?

— C'est beau mais c'est pas la vie.

Il se rassied.

— Ça fait combien de temps que tu vis là-bas ?

— Dix ans.

— Dix ans que je suis interdit, comme un paria.

C'est vrai, pense Simone. J'ai un fils merveilleux et je ne peux même pas le recevoir chez moi ! La Reine exagère. Elle pourrait faire une exception pour lui ! Elle ne sait pas, elle n'a pas eu d'enfant. Je devrais peut-être déménager.

— Ça jase dans le quartier, reprend-il. Et on va continuer de vivre avec ça ?

— Je suis fatiguée de cette discussion, Diego.

— L'amour d'un homme t'a apporté quelque chose. Je suis là, moi !

— Il y a plein d'hommes formidables dans ma vie. Le premier, c'est toi, mon chéri. Il y a le Fernand, ton grand-père, que j'admire beaucoup, mes amis…

Diego la coupe.

— Pourquoi tu as renoncé alors ?

— Je n'ai pas renoncé aux hommes. J'ai renoncé à en prendre plein la gueule.

Deux clientes se retournent.

— « Chacun chez soi et les vaches seront bien gardées », continue Simone.

— Enfermée dans un immeuble ? La casa machin chouette…

— Casa Celestina.

— Retenues en otage par une « Reine » déjantée.

159

— Nous sommes libres. Des locataires volontaires. Et ce n'est pas un gratte-ciel, juste un petit immeuble. Cinq femmes, dont une qui n'a pas du tout renoncé. À l'échelle planétaire, c'est une minorité, pas une épidémie.

Les clientes se sont rapprochées.

— Une ruche sans mâles ! J'te mettrais un coup de Baygon là-dedans, moi !

— Le couple n'est pas la seule réponse à la question : comment être heureux ?

Les clientes fixent du regard leur linge qui tourne sur programme délicat, les oreilles tendues vers Simone.

— Je vais te raconter l'histoire de l'immeuble des hommes qui ont renoncé aux femmes.

— Ça, mon grand, c'est de la science-fiction. Je n'y crois pas une seconde.

Les deux clientes acquiescent, les yeux rivés sur leurs petites culottes et leurs soutiens-gorge.

Pas de douceur entre Diego et Simone aujourd'hui. Ni ce bonheur inattendu qui la fait rosir de plaisir quand son grand garçon la prend dans ses bras par surprise et lui dit : « On fait un câlin, maman ? »

— Je te souhaite un bel et grand amour, mon fils. Si Laura te plaît vraiment, n'hésite pas trop longtemps. « Qui dit toujours nenni, jamais ne se marie. »

— Pour les dictons, tu as toujours été championne. Toi, tu ne t'es jamais mariée.

— On ne me l'a jamais proposé.

— C'est pourtant pas les hommes qui manquent. Maintenant, je dois travailler. J'ai douze paires de draps et cent vingt-cinq serviettes à plier pour le resto à côté.

Simone s'en va, fait quelques mètres dans la rue. Les cent vingt-cinq serviettes de resto lui donnent envie d'emmener son fils manger une pizza quatre fromages en tête à tête. Sans pile de linge, sans immeuble entre eux. Elle revient sur ses pas, pousse la porte.

— Je t'invite à dîner ce soir.

## 23

Il fait les cent pas, se demande si elle va venir. Il appréhende ce passage de l'écrit à la vie réelle, quand la fille semble attendre qu'il prenne la direction des opérations. S'il doit jouer au garçon et faire le coq, il a besoin de signes forts qui l'encouragent. De quoi va-t-il lui parler ? Il espère qu'elle aura une jolie voix. La dernière avait la tonalité de Kermit la grenouille. Il aurait dû mettre son pull beige, celui qu'il ne se résout pas à jeter. Il se serait senti plus à l'aise que dans ce costume qu'il porte pour aller travailler. Mais il n'a pas eu le temps de repasser chez lui ; il ne voulait pas la faire attendre. Elle est en retard. Peut-être qu'elle ne viendra pas. Il décide de lui accorder cinq minutes supplémentaires quand il aperçoit au loin une tête d'écureuil, écouteurs dans les oreilles, perchée sur des sandales rouges à très hauts talons.

Juliette est descendue deux stations plus tôt. Marcher en écoutant sa playlist « cool » allait peut-être la calmer. Non. Sueurs froides. Devant le restaurant Senza nome, un homme regarde sa montre. Costume gris anthracite, chemise blanche, Westons bien cirées.

*Ça doit être lui, il a écrit qu'il collectionnait les chaussures anglaises. Il ne ressemble pas à la photo qu'il m'a envoyée. Il est plus grand. Droit comme un I. Il a l'air confiant. Sans doute qu'il a l'habitude. Qu'est-ce que je fais ? J'y vais, j'y vais pas ?*

Juliette serre très fort le brownie au chocolat dans sa poche et s'apprête à faire demi-tour.

— J'attends une « Princesse Farouche ». Ce ne serait pas vous par hasard ?

Juliette se sent rougir.

— Non, enfin oui, en fait, moi c'est Juliette.

*Je passe un casting pour le premier rôle et je n'ai pas reçu mon texte.*

— Mais alors « Princesse Farouche », c'est une autre ?

— Les pseudos ça m'agace, c'est mon ami Max qui l'a inventé.

*Mais pourquoi je parle de Max ?*

— Vous avez raison, moi c'est Robert.

*Je me disais bien que t'avais pas une tête à t'appeler Zouzou.*

— Vous avez trouvé facilement ?

— Je me suis trompée de ligne, j'étais distraite.

*Ouh ! La menteuse.*

— Mais vous êtes venue.

— C'est Max qui a insisté.

*Mon Dieu que je suis maladroite !*

— Merci Max ! enchaîne Robert, qui se demande qui est ce Max qui a tant à dire. J'avais envie de savoir qui se cachait derrière ce joli style : « Se découvrir pas à pas, touche par touche, comme un tableau qui se compose, comme une photo qui se révèle. » C'est pas Max qui écrit quand même ?

— Max est mon meilleur ami.

Robert sort une cigarette d'un paquet chiffonné, lui en propose une. Des mois qu'elle n'a pas fumé. Elle aspire la première bouffée et se met à tousser.

*Tu parles d'une « Princesse Farouche » !*

Ils restent sur le trottoir, sans rien dire. Un silence qui n'en finit plus. La vie autour d'eux continue. Des gens passent, les dépassent.

*Il y a sûrement quelqu'un qui les attend quelque part. Quelqu'un qui aura quelque chose à leur dire.*

Juliette observe Zouzou-Robert.

*Je vois bien que tu hésites à m'offrir ce petit verre de valpolicella et ces pappardelle alle noci que tu avais évoqués avec enthousiasme derrière ton écran.*

Il se frotte le menton et les joues. Il se sent nu, démuni, sans arguments. Elle continue de l'observer. Plus elle le regarde, plus elle voit un grand sec à lunettes, rasé de près, très sûr de lui.

*Mais où est passée la barbe de trois jours qui te donnait ce petit air baroudeur si craquant ?*

Lui, ce dont il rêve, c'est d'une fille douce, qui le prendrait par la main. Les gens sûrs d'eux lui font peur, l'exubérance lui rappelle sa mère, une diva survoltée qui le mettait toujours mal à l'aise. Il imagine que cette monteuse de films en chemisier décolleté orange vif, crinière au vent et montée sur échasses, connaît par cœur toutes les scènes de rencontre réussies. Il ne sera jamais à la hauteur de son cinéma intérieur.

Elle, ce qu'elle aimerait, c'est rencontrer un homme rassurant-effervescent. Un bien enraciné, qui la pousserait sous une porte cochère pour l'embrasser passionnément. Pas un coureur de cent dix mètres haies. Un marathonien qui tient la distance, passé le bouillonnement de la nouveauté, quand les corps exultent et que le sens critique est en sommeil profond. Un bûcheron humaniste, l'ostréiculteur philosophe du film *Les Petits Mouchoirs,* un vigneron qui aime les mots. Un qui l'embarque, la fasse rire, la soulève de terre. Juliette soupire. Il a l'air sérieux, Robert. Ennuyeux comme la pluie.

*Mes phéromones font tapisserie. Il manque le swing pour les faire danser.*

Elle entend Max chuchoter à son oreille :

« Attends un peu ma Juliette. Ne tire pas de conclusions hâtives. Tes a priori bien rangés sur une étagère, bouscule-les. »

*Max, tais-toi !*

« Laisse-toi aller. Écoute la petite musique qu'il te joue. Va un peu plus loin. »

*T'as peut-être raison. Il a les yeux verts et j'aperçois un tee-shirt Petit Bateau qui dépasse de sa chemise bien repassée.*

— Je crois que je vais aller dîner tout seul.

Onze syllabes qui claquent au milieu des bonnes résolutions de Juliette.

— Mais pourquoi ?

— Panne d'allumage.

Une petite fille de huit ans que l'on efface d'un coup de gomme se retrouve dans la rue le cœur serré et le ventre vide.

*Je n'ai pas le bon format. Je ne suis pas habillée de la bonne couleur. Il ne m'a pas porté chance, ce chemisier ! J'aurais dû m'en douter, il est complètement démodé et en plus il me boudine ! Je ne suis pas longue et mystérieuse. Je n'aurai jamais les chevilles fines. Les hauts talons ne servent à rien. Le pouvoir de séduction a sauté une génération. Je ne suis pas aimable ! Et puis je suis retournée dans l'appartement pour y chercher les tongs, l'ange m'a lâchée. Évidemment !*

Juliette enfouit sa main au fond de sa poche, attrape le brownie à moitié écrasé, l'engloutit en une bouchée, fouille dans son sac, trouve la tablette de chocolat aux zestes d'orange confite, arrache l'emballage, avale un carré puis un deuxième, un troisième. La tablette en entier.

Elle s'assied sur le bord du trottoir, enlève ses sandales, frotte ses chevilles endolories, enfile ses tongs. Elle décide de ne pas prendre le métro et de rentrer à pied.

*Retour à l'immeuble. Je leur ai dit adieu un peu vite !*

## 24

C'est chaque fois la même chose. La même sensation de vide. Quand vient l'heure du lever de rideau, elle ne sait que faire d'elle-même. Elle allume la télévision, l'éteint, se lève, va et vient, regarde le ciel, les bambous et s'assied à nouveau. Elle prend les cartes à jouer sur la table. Elle sépare le paquet en deux, fait claquer les cartes, les mélange, coupe le jeu. Elle fait une réussite. Toujours pareille. « L'horloge. » Elle dispose douze cartes en rond, face cachée. Trois fois. Dépose les quatre dernières au milieu, elle en retourne une. Sept de pique ; elle le place à « sept heures ». Elle espère toujours que les quatre rois arriveront à la fin. Elle n'a jamais gagné.

La Reine est fébrile. Vingt et une heures ! L'heure à laquelle elle entrait dans la lumière.

L'heure de s'offrir au public, de s'envoler. Depuis trente ans, quand tombe le soir, le vertige est là. Toute la journée l'emmenait vers l'instant si exaltant qui précède l'entrée en scène : l'excitation, la tension, l'état second, le premier pas. Maintenant toutes ses journées accusent le manque.

Elle recommence une réussite. Mais les rois apparaissent, encore une fois, avant qu'elle ait terminé. Elle rassemble les cartes, elle les bat, tape le paquet sur la table pour égaliser les bords, jusqu'à ce qu'ils soient parfaits, et les range dans leur étui. Elle pense à ses succès et ses échecs, ses atouts et ses jokers. Même si elle tente de tenir la nostalgie à distance, elle finit toujours par la rattraper et ce soir c'est un méchant soir. Un soir de parade. Tous ses souvenirs défilent en grande tenue.

Elle pense à Simon, l'éclairagiste. C'est lui qui avait installé les lumières dans sa loge à l'Opéra de Paris. Il savait doser l'intensité dont elle avait besoin pour se trouver belle dans le miroir. Elle ne l'a jamais oublié. Elle pense à Albert qui façonnait ses chaussons de telle façon qu'ils épousent parfaitement ses pieds. Le cambrillon à durcir, la semelle assouplie, le talon élargi. Le droit différent du gauche. Il connaissait chaque millimètre de ses chevilles à ses orteils.

Elle revoit les couloirs interminables du City Ballet de Londres. Elle s'était perdue le soir de la générale. Elle revoit son faux pas dans le troisième mouvement du premier acte de *La Belle au bois dormant* à Berlin. Son coup de reins pour se rattraper alors que tout le monde la regardait. Elle revoit ce pas de deux dans

*Le Jeune Homme et la Mort.* La communion si intense avec son partenaire, l'écoute de la moindre palpitation du corps de l'autre, le sublime partage des énergies. Elle revoit son solo dans *Roméo et Juliette.* Seule sur l'immense plateau, poursuivie par le projecteur : pirouettes enchaînées, jetés, fouettés. Le centre du monde pour les mille paires d'yeux. Une responsabilité terrifiante. Si elle n'entre pas en scène il ne se passe rien. Les spectateurs ont réservé des mois à l'avance, rêvé de ce moment. Ils sont venus parce qu'il y avait une légende, « la légende de Stella » : la seule étoile au monde à interpréter ses solos les yeux fermés. Dans une transe hypnotique, elle est une fleur au vent, un oiseau, une flamme qui danse et quand elle revient sur terre, la foule éclate en applaudissements. Tous les soirs, elle remettait sa réputation en jeu. Ça devait être éblouissant, à chaque fois.

Elle revoit le soir de sa nomination. La salle debout à la fin d'une représentation du *Songe d'une nuit d'été.* Elle avance pour les saluts. Le directeur de l'Opéra sort des coulisses, micro à la main, vient se placer à côté d'elle. « J'ai l'honneur d'annoncer que mademoiselle Stella est nommée étoile. » Toujours plus haut, se mettre en danger, gagner tous les concours pour passer quadrille, coryphée, sujet, première danseuse. Elle était douée et obstinée. Obsédée. Ce jour-là, c'est la récompense. Elle a tenu la promesse faite à son père.

*

Maintenant, elle est seule dans l'immense canapé en velours rouge. Elle n'est plus adulée. Elle n'est plus gracieuse. Elle n'est plus une jeune fille. Elle n'est plus une fée. Elle est un papillon aux ailes épinglées.

Son regard tombe sur le troisième tiroir de la commode à droite. Elle a déjà rangé, il y a un mois, le tiroir du bas, celui avec les coupures de presse. Elle a laissé celui du haut. Elle sait ce qu'il y a dedans. Elle sait que ça ne sert à rien de l'ouvrir. Même si elle le fait parfois. Plus souvent ces derniers temps. Elle se lève, prend son iPod, clique cinq fois, trouve le morceau. Elle règle le volume. La musique du *Clair de lune* de Debussy envahit l'espace. Elle ouvre le tiroir. La parade continue. À l'intérieur, des centaines de cartes. Les cartes qui accompagnaient les bouquets de fleurs. Elle en prend une au hasard : « Chaque soir, vous vous offrez à mon regard. Vous m'avez envoûté. Édouard. » Partout où elle se produisait, il était là, au troisième rang. Elle en prend une autre : « Un bonheur fou s'empare de moi quand je vous vois danser. Vous incarnez la grâce et la beauté. Accepteriez-vous de dîner avec moi ? Alexandre. » Édouard, Alexandre, Charles, Hubert, Miguel, Umberto, Vladimir, David, Jack. Tous l'avaient courtisée pendant des mois, avant de passer une nuit avec elle. Toujours unique. La magie d'une première.

La magie, les ors, les velours, les lumières, c'est fini. Le dernier soir on quitte la troupe, les machinistes, le chorégraphe. Les projecteurs s'éteignent, les rideaux se ferment, l'orchestre se tait, on enroule le tapis de scène, on enlève le costume et le maquillage. Et pour elle, ce sera la même chose demain soir. Plus de public. Plus de triomphe. Et pas d'amour à ses côtés. C'est trop tard. Elle a choisi les étincelles.

Elle passe la main dans l'avalanche de compliments et de déclarations, repousse le tiroir – comme à chaque fois, pas tout à fait –, hésite, pousse le tiroir à fond, prend la petite clé, la tourne deux fois, va sur la terrasse à côté des bambous, leur chuchote quelque chose et jette la clé dans le vide. Elle laisse le hasard décider si quelqu'un la ramassera.

## 25

— On ne parle pas de ma sélection, prévient Juliette.

— Je n'ai encore rien dit, répond Max. Je fais une pause pendant que je lance des copies.

— Je n'ai pas envie de me taper toutes ces scènes mythiques. Ne me demande rien.

— Je vais chercher un café, je voulais savoir si tu en voulais un.

— Excuse-moi. J'en peux plus de les voir s'aimer !

— Ton dernier rancard ne s'est pas bien passé ?

— C'est facile pour eux, les dialogues sont écrits. Moi je tombe sur des manches qui disent : « Si j'avais su, je serais pas venu. » D'ailleurs, je siffle la récré, dit-elle en se laissant tomber dans le vieux fauteuil en cuir déglingué.

Max remarque, sur le bureau, une bougie avec une étoile de David.

— Toi, t'es encore allée mater à la synagogue.

Juliette fait une grimace.

— J'étais déçue, je devais pardonner à quelqu'un. Chapitre cinq de mon bouquin : Kippour. C'est le moment où chacun accorde sa clémence, manifeste son amour, son amitié. À la fin de la journée, les portes du Ciel se referment et plus aucune demande n'arrive à Dieu, faut attendre un an.

— Ça, c'est l'alibi. Kippour c'est pas maintenant et t'es même pas croyante ! Tu t'es offert un pschitt de beaux garçons. Avoue !

Elle sourit.

— Ils sont tellement émouvants sous leur kippa et leur châle de prière ; le ventre tiraillé parce qu'ils ont jeûné depuis la veille, leurs yeux noirs brillants, leur ferveur.

Max se marre doucement.

— Et ton pardon, tu l'as accordé à qui quand tu faisais semblant de prier ?

— Zouzou… enfin… Robert.

— Pourquoi ? Il avait des oursins dans le porte-feuille ? demande Max en s'installant dans l'autre fauteuil.

— Des oursins ?

— Ben oui ! Il t'a pas offert le resto ?

— Non ! Il m'a plantée sur le trottoir.

— Et il n'a rien dit ?

— Non.

— Juliette !

174

Elle lève les yeux au ciel.

— Qu'est-ce qu'il a dit ?

— Il m'a dit tel quel : « Je crois que je vais aller dîner tout seul. »

— Belle scène de film !

— Je te déteste !

— Moi, je t'adore ! Tu es ma divine Juliette. Il mérite qu'on l'enduise de goudron et qu'on lui colle des plumes !

Ils rient tellement qu'ils en ont les larmes aux yeux.

— On rit. Mais ma vie amoureuse, c'est le Sahara.

— Tu te souviens du premier ?... Comment tu l'avais baptisé encore ?

Pour se donner du courage, elle avait envisagé la chose comme un jeu. Elle devait trouver un surnom à son prétendant avant la fin du rendez-vous.

Il avait quarante ans, pas d'enfant, et n'avait jamais vécu avec une femme. Il lui avait envoyé, pendant des semaines, une prose d'une infinie délicatesse, qu'il signait « Le Poète ». Séduite par ses mots, « ... cette part du ciel qui reste en nous, électrisée, nocturne, sauvage, inaliénable... », elle avait accepté de le rencontrer. Pour un café, dans un lieu public.

Elle avait mis sa robe aubergine, des bas de soie, des escarpins en daim aux talons insensés, caressé Jean-Pierre et bu un petit verre de blanc dans sa cuisine avant de partir.

Elle avait croisé Rosalie dans l'escalier.

— Comme tu es belle.

— J'ai rendez-vous.

*Trente et un ans, c'est trop jeune pour devenir nonne.*

— Bonne chance, ma Juliette. Respire. Ouvre grand tes chakras.

Il l'attendait au fond du bistrot, vêtu d'un pantalon informe – qui avait dû être brun à l'achat –, de chaussettes Mickey dans des sandalettes, d'un gilet et d'une chemise à manches courtes ouverte sur un torse laiteux et imberbe.

— Bonjour, c'est vous la Princesse ?

— Et vous le Poète !

*Il ressemble à une gargouille de Notre-Dame. La beauté intérieure c'est important, mais quand même !*

— Vous voulez boire un café ?

— Oui. Un petit serré.

*Et je m'en vais très vite.*

« Le Poète » avait prononcé quelques mots, d'une voix presque inaudible et sans aucune intonation. Juliette devait avancer sur le bord de sa chaise pour comprendre ce qu'il disait.

— Vous prenez du sucre ?

Un effluve dérangeant lui avait envahi le nez.

*Je connais cette odeur.*

Chaque fois qu'il parlait, elle s'avançait et aussitôt reculait.

*Le salon de la tante de Max, qu'elle n'aère jamais de peur qu'un courant d'air ne déplace un bibelot. Toi, je vais t'appeler « Naphtaline ! »*

Et puis il lui avait avoué que tous les mails qu'il avait écrits, c'était du Christian Bobin.

— Ah !

*Exit la beauté intérieure.*

— Je n'ai pas voulu vous mentir plus longtemps.

*Un imposteur en sandalettes !*

Il aurait aimé prolonger la soirée. Elle avait dit sobrement :

— Non, merci. J'ai une machine à faire tourner.

\*

— Je ne risque pas de l'oublier. À l'écrit, il m'avait envoyé des copier-coller de Christian Bobin : *L'Homme-Joie*. Tu parles d'une joie ! En 3D : une gargouille en chaussettes Mickey, qui sentait comme le salon de ta tante ! Naphtaline !

— Change de quête. Oublie l'homme idéal, s'exclame Max. Choisis un truc plus facile. Un couvre-lit géant au crochet, par exemple.

— C'est plus une quête alors, c'est une promenade de santé !

— Et les nanas de ton immeuble, ça leur suffit comme vie, une promenade de santé ?

— Ben oui. Elles ne cherchent plus à plaire et ça change tout.

— Elles ont peut-être envie de plaire aux femmes ? T'es sûre qu'elles te draguent pas, tes « renonceuses » ?

— Ni homos ni bonnes sœurs. Elles ont choisi de vivre autrement. Elles sont belles, intéressantes, généreuses, en mouvement. Elles s'amusent, elles. Ça me fait réfléchir. C'est même tentant par moments.

— Ma Juliette sans homme ! C'est *Le Parrain* sans Brando, *Indiana Jones* sans Harrison Ford…

— En ce qui me concerne, je préférerais que tu dises *Sissi* sans Romy. Comprends-moi, Max, je voudrais simplement rencontrer quelqu'un. Ne pas prévoir, ne pas savoir. Une surprise dans la vraie vie, pas du shopping dans un cybermarché. C'est terrifiant ! Y a le rayon gros pépères, faux poètes, experts comptables, tordus, torturés du cul, vieux habitués très à l'aise qui ne veulent pas perdre de temps. Ceux qui cherchent seulement à s'occuper. Ceux qui profitent de l'anonymat pour régler leur compte à leur femme ou leur mère à travers des inconnues. Les inhibés qui se libèrent à l'écrit. Ceux qui caracolent en tête de gondole avec des promesses alléchantes : « Marc, parisien, célibataire, 40 ans, 1 m 85, beau mec, adore lire. » En fait c'est Polo, qui vit dans un pavillon à Antony, cinquante-sept ans, une femme et quatre enfants, il dévore les offres de Carrefour et le mode d'emploi de sa nouvelle perceuse-visseuse et il a mis la photo de son cousin. Ceux qui te déballent leur vie, t'appellent chérie, et t'envoient des bisous doux partout au bout de vingt-deux secondes. Les connectés vingt-quatre heures sur vingt-quatre qui guettent l'enveloppe qui clignote. Les accros au système qui continuent à sniffer cette drogue dure même quand ils commencent une relation – « T'inquiète pas mon cœur, c'est pour discuter avec les copains sur les forums. » Les mythos chroniques. Les paranos qui tendent des pièges à leur ex. Les déprimés longue durée. Accros, mythos, barjos… une belle variété de déséquilibrés. Tous bien secoués dans un shaker, accélérateur de névroses : *Vol au-dessus d'un nid de coucou* version 2013 et sans Nicholson ! Et quand tu penses enfin en apercevoir un qui pourrait convenir, tu y crois, tu montes tout en haut, y a plus personne, tu redescends aussi vite que tu es montée et voilà le tour de manège est terminé. Il a disparu en toute impunité. Internet, c'est pas la vie. Comme si on pouvait trouver l'amour en ouvrant une boîte de sardines.

— C'est l'Euro Millions, tu as une chance sur cent trente-sept millions !

Elle se lève, pousse des dossiers, cherche sur l'étagère, sous le bureau, dans son sac, dans ses poches, arrache le papier qu'elle jette par terre, croque le chocolat, ferme les yeux.

Max la regarde s'agiter d'un air désolé. Ça le touche de voir sa belle Juliette dans cet état de manque. Comment sa mère peut-elle ne l'avoir jamais prise dans ses bras ?

Il a vu une photo d'école : elle était adorable, à manger de baisers. Elle la garde précieusement, la seule de son enfance, parce que ses parents ne la photographiaient jamais.

— Tu devrais essayer d'apprivoiser la sensation de faim.

Juliette crie.

— ARRÊTE ! Tu parles comme un stage de développement personnel. Apprivoiser la sensation de faim, c'est n'importe quoi !

*L'envie de bouffer, ça envahit tout !*

Il y a un long silence. On entend un avion au loin. Max regarde la bougie, l'image à l'écran, le papier déchiré qu'il n'ose pas ramasser.

— J'ai deux places pour aller écouter un groupe jazzy vendredi. Tu veux m'accompagner ?

## 26

Une par une, elles ont emprunté l'escalier qui monte au dernier étage. Comme chaque semaine, elles se retrouvent pour le dîner rituel du dimanche soir. Pour rien au monde elles ne rateraient ce moment. Il n'y a pas de protocole mais elles se font toujours belles. On ne va pas dîner chez une reine en haillons, dit Simone, pour qui l'élégance est pourtant la dernière des préoccupations.

Elles cuisinent à tour de rôle. Jean-Pierre, qui connaît les habitudes de l'immeuble, s'est déjà installé aux premières loges. Il observe Giuseppina, les yeux mi clos, espérant qu'elle récompensera sa compagnie par un morceau choisi.

— *Pomodori… melanzane… parmigiano… perfetto !*

Chaque fois qu'elle parle, il bat la mesure avec sa queue comme pour acquiescer à ce qu'elle dit.

Simone s'adresse aux bambous à travers la baie vitrée.

— Ne nous faites pas le coup de fleurir, mes jolis, la Reine ne s'en remettrait pas.

— Ça sent délicieusement bon ! Qu'est-ce que tu nous prépares ? demande Juliette, qui vient d'arriver.

— *Sorpresa à la siciliana,* annonce la cuisinière en agitant une cuillère en bois.

Juliette la filme. Trente secondes de vie, à rajouter à celles qu'elle assemble depuis des mois : la Reine qui esquisse une drôle de pirouette, Rosalie en salutation au soleil, Jean-Pierre rugissant comme le lion de la Metro-Goldwyn-Mayer, Simone qui se prend pour Marie-Madeleine.

— Merveilles à la Giuseppina… huuuum ! commente la cinéaste.

C'est toujours la Reine qui dresse la table. « Privilège royal », a-t-elle décrété une fois pour toutes. Une nappe en lin blanc parsemée de pétales de roses, des verres à pied en cristal de Venise, des bougies qui flottent dans deux bols en argent ciselé. Et au milieu, elle dépose toujours la photo d'un danseur. Personne n'ose lui demander si c'est un ancien amant.

Pas de place attitrée, sauf pour la Reine qui préside. Rosalie et Simone l'entourent. Giuseppina se met côté cuisine, Juliette face à elle. Jean-Pierre saute sur la dernière chaise, tourne trois fois sur lui-même avant de s'étaler de tout son long, satisfait. Au mur le « Fou », dans son cadre, les regarde.

Giuseppina lit à voix haute l'étiquette de la bouteille de vin.

— L'Irrésistible, Domaine de la Croix, grand cru gourmand, riche et fruité.

Elle fait tourner la bouteille.

— Robe rouge profond aux reflets violets, arôme intense de cassis. Il nous a encore gâtées.

— Qui ça, il ? demande Juliette.

— C'est un admirateur anonyme de la Reine ! Il fait livrer chaque mois un cru différent.

La Reine ajoute :

— Saint-amour, Quintessence, Marginale, Impériale, Moulins des Dames, Clos de la Simonette, Confidentiel…

— Il vous connaît bien, dit Juliette.

Simone lève son verre.

— « L'amour est une ivresse, un désordre insensé. »

— À quoi boit-t-on ?

— À la Casa Celestina.

— À nous, dit Rosalie.

— À nous, reprennent-elles toutes les cinq en levant leur verre.

« À nous. » Ces mots résonnent dans la tête de Juliette.

*Comment sera la vie après l'immeuble ? Je vais me retrouver dans le silence. À Noël, Carla sera rentrée d'Inde et récupérera son appartement. Et moi, où serai-je ? Avec qui ? Max part au ski. Mes parents passent toujours Roch Hachana, Pourim, Souccot, la nouvelle année, toutes les fêtes de famille, même les catholiques, à deux. Une tradition, disent-ils.*

Giuseppina apporte les assiettes. Sur un lit de roquette, un fromage de chèvre et des tomates confites embaument l'huile d'olive, l'ail et l'origan.

— Tu peux me passer le sel, demande Juliette à Simone en tendant la main.

— On ne passe pas le sel de main en main ! s'exclame la Reine. Ça attire le mauvais œil.

Et elle échange un regard de connivence avec Rosalie, avec qui elle partage un penchant certain pour les superstitions.

— Il paraît que si on peut citer trois kifs qu'on a eus dans la journée on vivra plus longtemps, enchaîne celle-ci.

— Trois kifs ? Tu peux traduire, demande Giuseppina.

— Un kif, c'est un petit plaisir, un moment de grâce. J'ai un nouvel élève. Il ressemble à Jean Rochefort, continue doucement Rosalie.

— Jean Rochefort maintenant, ou il y a vingt ans, quand il jouait *Le Mari de la coiffeuse* ?

— Il y a vingt ans.

— Et alors ?

— J'avais chaud, j'étais troublée. Je lui ai fait faire le sphinx.

— Il est aussi séduisant que l'acteur ?

— Oui.

— Et ?

— J'ai pris la posture du héron, j'ai fermé les yeux et le calme est revenu.

— Vous ne trouvez pas qu'on parle beaucoup des hommes depuis que Juliette est arrivée ?

Tout le monde rit, sauf Giuseppina. Simone se tourne vers Juliette.

— Justement, tu en es où ma poule ?

— Ça me plaît de rentrer le soir dans notre ruche et de passer les dimanches à bourdonner. J'aime l'odeur de pain grillé et les cris de mouettes dans la cage d'escalier, Jean-Pierre qui se faufile d'un appartement à l'autre. Mais bourdonner, ça ne tient pas chaud la nuit.

— Tu as pensé aux hommes du quartier ?

— Les frères Leroy sont célibataires.

— Le problème, c'est de choisir.

— Tu serais mignonne en tablier gris derrière le comptoir de la quincaillerie.

— Tu vendrais des casseroles du lundi au vendredi.

— Et tu irais au match de rugby le samedi.

— *BASTA !* crie Giuseppina. On peut parler de choses plus intéressantes. Vous êtes contaminées ou quoi ? Elle revient quand, Carla ?

Un silence suit l'explosion de Giuseppina. Juliette plonge le nez dans son verre d'Irrésistible.

*Elle a peut-être raison. Qui se soucie de la Reine ? Elle nous héberge pour un loyer dérisoire, nous reçoit magnifiquement tous les dimanches et souffre seule comme une grande dame. Qu'est-ce qu'elle va devenir ? Je vais regretter nos goûters dans le canapé rouge quand je ne serai plus là.*

Dans un élan, Juliette lève son verre et s'écrie :

— À notre Reine !

Un éclair de reconnaissance, qui ressemble étonnamment à de la tendresse, traverse les yeux de leur souveraine hôtesse.

Puis la conversation reprend à propos de la bio de Nelson Mandela qu'elles lisent chacune à son tour et du dessert : figues rôties au caramel, fleur de sel, poivre de Sichuan, pointe de vinaigre balsamique.

La Reine se lève, fait quelques pas et enclenche son iPod.

> *Des cheveux qui tombent comme le soir*
> *Et d'la musique en bas des reins*
> *Ce jazz qui d'jazze dans le noir*
> *Et ce mal qui nous fait du bien.*

Léo Ferré chante *C'est extra*[1].

Elle revient vers la table d'une démarche raide. Simone, Giuseppina, Rosalie et Juliette détournent le regard. Elle se tient debout, les fixent en souriant sans rien dire. Elles se taisent, elles aussi. On n'entend plus que les paroles.

> *C'est extra*
> *Ces mains qui jouent de l'arc-en-ciel*
> *Sur la guitare de la vie*

1. *C'est extra.* Paroles et musique de Léo Ferré. © Les Nouvelles Éditions Méridian & La Mémoire et la Mer. Publié avec l'autorisation des Nouvelles Éditions Méridian-Paris et des Éditions La Mémoire et la Mer-Monte-Carlo.

*Et puis ces cris qui montent au ciel*
*Comme une cigarette qui prie.*

La Reine ouvre un tiroir sous la nappe et en sort d'une main crispée quatre paquets emballés de satin bleu nuit. Un pour chacune de ses invitées. Elles découvrent des photos sous Plexiglas, le ciel vu de leur immeuble, à différents moments de la journée et de l'année : un ciel d'orage, un ciel d'azur, un ciel moutonneux, un ciel étoilé.

— Merci d'être là, de partager ma vie, dit la Reine d'un ton solennel.

Elle se rassoit et elle chante la chanson jusqu'au bout.

*C'est extra*
*Une robe de cuir comme un oubli*
*Qu'aurait du chien sans l'faire exprès*
*Et dedans comme un matin gris*
*Une fille qui tangue et qui se tait*
*C'est extra*
*Les Moody Blues qui s'en balancent*
*Cet ampli qui n'veut plus rien dire*
*Et dans la musique du silence*
*Une fille qui tangue et vient mourir.*

Un bourdon est entré dans la pièce. La Reine le regarde mais, cette fois, elle ne le prend pas entre ses doigts. Elle le laisse se reposer sur l'abat-jour.

## 27

Rosalie rentre chez elle à pied en prenant le temps de respirer l'air vif du début de l'hiver. Elle suit un stage avec Ravi, un grand maître indien de passage à Paris, venu enseigner « Les vingt et une étapes de la méditation ». Ça l'amuse qu'en Occident le yoga soit un univers de femmes où les premiers rôles sont tenus par des hommes qui ont l'air de manger des pommes toute la journée. Trop zen pour être honnêtes ? Elle, elle a eu beaucoup de mal à ne pas s'endormir à l'étape 12.

Elle aperçoit sur le trottoir en face une silhouette de dos. Son cœur s'emballe. Elle traverse. La silhouette tourne déjà le coin. Elle crie.

— François !

L'homme se retourne. Bien sûr, ce n'est pas lui. Le souffle court, elle remonte doucement la rue.

En chemin, elle s'arrête au Chou de Bruxelles pour acheter un poulet élevé en plein air, un pain d'épeautre et du thé vert. Nicole est au comptoir. Elle lui choisit des dattes.

— Cinq ou sept, je sais, tu es très superstitieuse, ronchonne-t-elle. Je connais les chiffres que tu n'aimes pas, le chiffre six, c'est pas bon, le huit ça tourne un peu en rond. Je rajoute un chou-fleur, une merveille en gratin.

— Merci Nicole, bonjour à Monique.

— Mes hommages à la Reine !

Rosalie passe devant la librairie, répond d'un sourire au signe de la main des frères Leroy et croise la famille Century : Hervé, son père, sa mère, sa sœur, le grand caniche blanc à pompons de sa sœur. Un rideau s'écarte quand elle arrive devant la grille. Elle a juste le temps d'apercevoir la main ridée de monsieur Barthélémy avant que le voile retombe.

Elle ramasse son courrier sur la commode de l'entrée. Deux factures. Une carte postale. Elle monte les quatre étages en comptant les marches pour chasser la carte de ses pensées.

Elle pousse la porte avec ses fesses et se dirige vers la cuisine, les mains encombrées par ses achats, le courrier et son grand cabas qui lui permet de transporter justaucorps, tapis de yoga et encens. Elle aimerait retrouver, sur la table de la cuisine, le livre qui était dans sa chambre ce matin. Ce serait la preuve que quelqu'un vit à ses côtés. Rien n'a bougé. Chez elle rien ne bouge jamais !

Elle a envie de faire un poulet au citron et d'inviter Giuseppina qui a le regard un peu voilé depuis que ses frères lui ont annoncé qu'elle ne verrait pas sa fille aux vacances. Et peut-être Juliette. Elle les fera respirer. Elle sourit en pensant à ce petit monde à réunir autour d'elle.

Elle ouvre grand la fenêtre pour regarder la nuit qui tombe et les lumières dans les maisons de l'impasse. Elle sait que la carte est là. Pas loin. Elle ne veut pas la lire tout de suite.

Elle pense à ses parents, les Labonté. C'est bientôt leur anniversaire de mariage. Quarante ans – noces d'émeraude – et ils ont toujours les mêmes gestes tendres l'un pour l'autre. C'est presque un collector, leur amour. Elle pensait qu'elle allait vivre le même avec François.

Elle attrape la carte. Au recto, une plaine qui s'étend à l'infini, avec tout au bout une petite maison en bois bleu délavé… elle retourne la carte… bien sûr c'est lui ! La dernière remonte à trois mois. Son cœur bat plus fort. Cinq ans pourtant qu'elle n'a pas plongé ses yeux dans ceux du même bleu que la petite maison. Il n'a pas donné d'explication. Il n'a pas dit au revoir. Elle a changé de vie mais elle n'est jamais arrivée à l'oublier. François : le premier garçon qui l'a embrassée. Si elle ferme les yeux, elle retrouve instantanément le goût de ce baiser. Le goût de la cerise. Ils en avaient mangé des poignées juste avant de se rapprocher. Qu'est-ce qu'elle l'a aimé ! Sans réfléchir, sans conditions, sans savoir aussi. À l'époque, elle pensait que les garçons formidables poussaient comme des fleurs et qu'il suffisait de se pencher pour en cueillir un. En fait, non, elle n'a plus jamais croisé de jolie fleur. L'aurait-elle même vue ?

Elle n'a jamais cherché à lui répondre. Que dire ? Lui faire des reproches ? Lui expliquer l'immense détresse qui a été la sienne ? À quoi bon ! S'il a fui, c'est qu'il ne pouvait pas faire autrement. Avec les années, elle a fini par le comprendre, même si elle n'arrive pas à lui pardonner sa lâcheté.

C'est avec lui et lui seul qu'elle voulait vivre, faire des enfants. Tout était parfait. Il avait donné un grand coup de pied dans leur bonheur. C'est rare le bonheur. Parfois il passe, il ne s'arrête pas toujours.

Ce soir, elle va encore enrouler sa couette autour d'elle, coller son ventre au matelas et s'agripper à son oreiller.

Il est parti, elle sait qu'il ne reviendra pas. Tous les ciseaux et les torchons, les trucs et les superstitions, n'y feront rien. Mais elle croit dur comme fer qu'on n'aime qu'une fois vraiment, follement, avec le cœur grand ouvert. Qu'une deuxième fois serait pleine de retenue, de peur, de protection. Trop près ? Trop loin ? Il n'y a pas de mètre ruban pour calculer la bonne distance avec celui qu'on aime.

Pourtant vivre dans un immeuble où le seul mâle est un chat et où le livreur de pizzas reste derrière la grille, consoler les Lina au yoga et les Tristan à la piscine, faire l'arbre, boire du thé avec les copines, fermer les yeux quand le sosie d'un acteur la trouble, ce n'est peut-être pas la solution, finalement ! Comment font les autres ? Elles vacillent elles aussi ? Que disait la voix grave dans le hammam : « C'est magnifique le désir au jour le jour… J'aime l'idée de finir ma vie à côté de la femme que j'ai choisie et qui m'a dit oui. » Et si Juliette avait raison ? « L'amour c'est du miel. » Parfois elle a envie de jeter toutes les cartes postales de François à la poubelle.

Mais comment renoncer à l'homme de sa vie ? Elle n'a pas trouvé le manuel à la librairie.

## 28

Ils sont arrivés en retard au concert. Juliette mourait d'envie d'aller se réfugier sous la couette et de dormir pour oublier ses rendez-vous sans lendemain. Max avait eu du travail jusqu'à la dernière minute et quand elle avait essayé de lui dire qu'elle déclarait forfait, il n'avait rien voulu entendre.

— D'habitude tu es la première à vouloir faire la fête. Tu ne vas pas me laisser y aller tout seul. Et puis les Push Up au New Morning, c'est une invitation qui ne se refuse pas.

— Froid, a bredouillé Juliette, le museau enfoui dans le col cheminée de son pull.

— Justement ! Viens danser plutôt que mettre ton bonnet de nuit à huit heures du soir.

Max est son pilier, elle n'aime pas lui refuser quelque chose.

— Ok ! Ok ! Je viens.

Le lieu est perdu dans une rue sans grâce mais Juliette aime cet endroit, inspiré des clubs de jazz new-yorkais. La petite salle a l'air d'un hangar inachevé et pourtant les plus grands s'y produisent. On peut y aller les yeux fermés, c'est toujours une belle surprise.

Sur les murs rouges du couloir, des affiches de concerts mythiques et des photos en noir et blanc de Sidney Bechet, Lionel Hampton, John Coltrane et autres virtuoses. La déco est un peu fatiguée et il n'y a pas beaucoup d'espace mais les musiciens et le public n'en sont que plus proches. Quand l'ambiance chauffe de quelques degrés, on pousse les chaises pour danser.

D'habitude, Juliette est ravie d'être là. Aujourd'hui, elle s'est perchée sur un tabouret au bar et regarde distraitement autour d'elle. Elle s'arrête sur une silhouette d'homme qui lui semble familière. Il est très grand, porte un pantalon avachi, un gros pull à col roulé et un vieux blouson de cuir craquelé aux entournures.

— Tu veux boire quelque chose ? demande Max.

— Tu crois qu'ils ont des grogs ? répond Juliette sans le regarder.

Elle se penche sur son tabouret. Quand l'homme bouge, elle ne voit plus que la moitié du groupe qui vient d'arriver. C'est la carrure qui a retenu son attention. Il est bâti comme un déménageur de piano.

— Qu'est-ce que tu fais ? Tu vas tomber.

Le déménageur se retourne. Son regard très doux contraste avec sa stature de géant. Elle pose la main sur le bras de Max.

— Ça va ? T'as l'air toute chose.

— C'est drôle, je connais ce mec là-bas mais je suis incapable de te dire où je l'ai vu.

Max rigole.

— T'as des visions maintenant. C'est la fièvre !

*Je suis certaine que je l'ai déjà croisé quelque part. À la poste ? Chez les frères Leroy ?*

— Approchons-nous, ça va commencer.

Sur scène, une tribu métissée de sept musiciens et chanteurs se met en place. L'un d'eux prend le micro.

— Nous allons vous raconter la journée d'un homme populaire. Installé devant sa télévision, il pense à tous les choix qui ont influencé sa vie, ses espoirs, ses colères. Mister Quincy Brown !

Les riffs de guitare, la flûte traversière, le synthé déchaîné, la voix caressante de la chanteuse soul et l'énergie du groupe ont raison des dernières réticences de Juliette. Elle descend de son tabouret et commence à se déhancher sur place au rythme de la musique.

— Très jolies ! dit le déménageur en regardant les bottines en daim prune, lacées de rubans rouges en satin, de Juliette.

*Un fétichiste des pieds ?*

— Merci ! Je les fais venir de Londres. Il n'en existe que quelques exemplaires.

— Rares et dansantes.

— Je peux pas résister, j'aime trop leur musique.

— Ils sont très forts.

*Mais ouiii, ça y est je sais où je l'ai vu.*

— Dites-moi… vous n'auriez pas des chaussures à moi chez vous, par hasard ?

Le déménageur sourit.

— Possible.

— Et… elles sont prêtes vous croyez ?

— Vous avez le numéro de votre ticket ?

— Hummm là non, mais…

— Numéro 3. 219.

— Au Talon d'Achille ! Rue des Trois-Frères !

Il s'incline très bas.

— Jean, votre cordonnier, se prosterne à vos pieds.

*Un cordonnier qui aime les Push Up. Waouh !*

Ils se mettent à parler de Quincy Brown et de ses interrogations métaphysiques, du film qui pourrait raconter sa vie, de cette musique qui flirte aisément entre soul, rock et funk, du New Morning où ils viennent souvent mais jamais en même temps.

Adossé au mur, Max observe son amie qui répond au géant en souriant, un verre à la main. Il s'approche d'eux.

— Moi, je vais y aller. Je suis fatigué. Je vais attraper le dernier métro, dit-il.

*Pourquoi il s'en va ?*

— *Le Dernier Métro,* qu'est-ce que j'aime ce film ! dit Jean.

*Ça n'existe pas en vrai, un dingue de chaussures ciné-phile, avec des yeux gris.*

Max s'éclipse.

Ils restent sans rien dire. Juliette regarde le décor, Jean, le décor, Jean, Jean, Jean.

Les yeux gris et les yeux verts ont une longue conversation.

Jean se penche vers elle et lui chuchote à l'oreille.

— *I'm just a man.*

*Immense !*

— C'est le titre que je préfère sur leur album.

*Respire Juliette, respire…*

Ils sont devant le bar, à moitié assis sur leurs tabou-rets.

*S'en aller, rester, qu'est-ce qu'on fait dans ces cas-là ?*

— On boit un dernier verre ? demande Juliette d'une petite voix.

*Trop tard, c'est dit.*

— Non, dit Jean, enfin si, une menthe à l'eau.

Il regarde les bottines de Juliette.

Elle regarde ses mains.

*Des mains qui cajolent toute la journée des chaus-sures de femme. Faut que j'enchaîne avec quelque chose d'intelligent.*

— Pourquoi vous êtes fermé le jeudi matin ?

— Et pourquoi pas ?

— Quelle heure est-il ?

— Je ne sais pas.

Le regard de Jean remonte vers les seins de Juliette.

*Il va pas voir grand-chose sous mon gros pull.*

— Il est temps, non ?

— De quoi ?

— Je ne sais pas.

— On est les derniers.

— C'est grave ?

Le hangar s'est vidé de ses fans, les musiciens ont remballé leurs instruments et le barman ramasse les derniers verres qui traînent sur le comptoir.

Jean propose à Juliette de la raccompagner. Devant la station de métro fermée, ils décident de rentrer à pied. Elle se sent protégée dans les rues désertes, à côté du déménageur de pianos.

*Comme bodyguard, c'est sûrement mieux que monsieur Barthélémy derrière son rideau.*

Un bruit étrange s'échappe d'une bouche d'égout. Juliette fait un bond de côté.

— Ah ! Les crocodiles sont de retour, commente tranquillement Jean.

— Un crocodile ! crie-t-elle, en s'accrochant à son bras.

— Il paraît qu'il y en a des dizaines.

— Tais-toi ! J'y crois à fond. Oups ! Je vous tutoie.

*Oulàlà ! Je suis pompette moi !*

— Ils ont été ramenés en France par des vacanciers qui trouvaient ça mignon ! Certains ont réussi à s'échapper et grandissent sous nos pieds. Ils aiment cette vie underground, explique Jean.

198

— J'adore les légendes urbaines… Elvis Presley, Walt Disney, Michael Jackson qui seraient vivants sur une île déserte. La Grande Muraille de Chine, visible depuis la Lune. Ma préférée, c'est le poisson rouge qui n'a que cinq secondes de mémoire…

Jean termine sa phrase :

— C'est pourquoi il ne s'ennuie jamais dans son bocal.

Et ils marchent comme ça, bras dessus, bras dessous, en parlant de tout et de rien.

Au coin de l'impasse, Juliette ralentit le pas.

*Qu'est-ce que je fais ? Qu'est-ce que je lui dis ?*

Elle s'arrête devant la grille.

— Alors, c'est vrai ce qu'on raconte dans le quartier ?

*Zut ! Il sait.*

— Qu'est-ce qu'on raconte ?

*Je gagne du temps là.*

— Que les femmes de cet immeuble ont renoncé à l'amour.

— Oui c'est vrai, elles ont renoncé.

Juliette marque un temps d'arrêt et dit tout bas :

— Pas moi.

Jean prend le visage de Juliette entre ses mains, l'embrasse très doucement, et il s'en va.

En le regardant s'éloigner, Juliette ne peut s'empêcher de remarquer la souplesse de sa démarche.

Elle sourit en pensant qu'elle ne voulait pas sortir ce soir. Elle sourit en pensant qu'il ressemble au petit garçon de dix ans qui lui a un jour offert son goûter. En beaucoup plus grand.

*C'est si simple, en fait.*

Elle tape le code, traverse la cour, cherche sa clé dans sa poche, trouve le chocolat intact, monte l'escalier, se déshabille comme une automate et s'endort en oubliant d'allumer la radio.

Elle est réveillée par l'arrivée d'un texto : « Vos escarpins sont prêts. Je les ai cirés, ils brillent ! »

## 29

*Déménageur de piano… vous avez le numéro de votre ticket ?… 3. 219… Talon d'Achille… Jean… menthe à l'eau… crocodile… Muraille de Chine… poisson rouge… renoncer à l'amour… pas moi… ils brillent… déménageur de piano… vous avez le numéro de votre ticket ?… 3. 219… Talon d'Achille… Jean… menthe à l'eau… crocodile… Muraille de Chine… poisson rouge… renoncer à l'amour… pas moi… ils brillent….*

La sonnerie de son portable fait sursauter Juliette.
*Transmission de pensées ?*

Elle sourit, décroche, le sourire disparaît, elle renverse son siège, sort du studio, bouscule Max dans le couloir.

— Éteins tout pour moi… pas le temps de t'expliquer… je dois rentrer.

*Métro ? Taxi ? Pas taxi, s'il y a une manif je serai bloquée. Il est arrivé quelque chose à Jean-Pierre ? Je peux pas courir avec des hauts talons. Mes tongs ? Dans mon sac. Merde ! J'ai oublié mon sac ! Pas de sac, pas de tickets, pas d'argent. J'arriverai jamais à sauter au-dessus des tourniquets. Je vais me coller à quelqu'un. Celle-là, elle est mince. Go ! Est-ce que Simone a eu un malaise ? Pourquoi il n'arrive pas le métro ? J'aurais dû lui dire d'appeler SOS Médecins. Châtelet, Les Halles, Étienne-Marcel. Encore une station. Puis la correspondance. Ça n'en finit pas. C'est quoi cette pieuvre qui me serre le ventre avec un tentacule autour du cou ? Pourquoi je me mets dans un état pareil ? Rosalie, Giuseppina... elles sont où ?*

Rosalie a tout abandonné. Les coussins de méditation et ses élèves. Elle voudrait courir, elle n'y arrive pas.

Giuseppina descend d'un taxi, l'écharpe de travers. Elle était en train de vendre une paire de candélabres XIX$^e$ en bronze doré quand son téléphone a sonné. Elle a confié son stand à Maurice et traîné sa patte folle jusqu'au boulevard.

Jean-Pierre tourne comme un fauve en cage dans la cour.

Simone les a appelées. Elle a dit d'une voix blanche : « À la maison tout de suite... je vous en prie. »

## 30

Un soleil pâle éclaire un ciel nuageux, comme elle les aimait. Les grandes allées aux noms d'essences rares et les arbres centenaires font penser à un parc. Mais ce n'est pas un parc. Des gens déambulent avec des arrosoirs, des pots de fleurs dans les bras et des mines désolées.

Blotties les unes contre les autres, elles forment un essaim bien serré. Carla, arrivée la veille au soir, porte sous son manteau d'hiver une longue tunique blanche, selon le rituel de deuil indien.

*

Rien ne laissait présager qu'elles seraient ensemble aujourd'hui pour lui dire adieu. Cinq jours plus tôt, elles étaient encore réunies pour leur dîner du dimanche. Simone aux fourneaux ce soir-là. Au menu : patates

sautées au lard, salade de pissenlits, tarte aux myrtilles. Elles commentaient, rieuses mais perplexes, le
mot anonyme qui avait été glissé dans la boîte aux
lettres : « Si vous avez besoin d'un homme, je suis
là. » Peut-être monsieur Barthélémy, qui après les
avoir longuement observées se décidait à franchir la
grille ? Peut-être Hervé Century qui tentait d'échapper à sa famille ? Peut-être un nouveau voisin ? Le
choc était venu d'ailleurs.

Jean-Pierre miaulait de façon inhabituelle devant la
porte du dernier étage. Simone avait trouvé la Reine
reposant sur son lit, telle une Belle au bois dormant
qu'aucun baiser ne viendrait plus réveiller. Ses jambes
encore fuselées dépassaient d'une longue robe blanche
en satin. Celle qu'elle portait pour dîner avec le cousin du roi quarante ans plus tôt. Elle voulait être la
plus belle une dernière fois. Ses mains fanées serraient
son iPod. Des applaudissements en boucle s'en échap-
paient. Près d'elle, une boîte de somnifères. Vide. Sur
la terrasse, les bambous fleurissaient.

Simone avait compris que c'était sans doute le coup
de grâce qui avait fait basculer la Reine. Elle était
restée longtemps dans la chambre. Puis elle était
redescendue chez elle, téléphoner à Rosalie, Giuseppina et Juliette.

*

L'une après l'autre, elles s'étaient assises, raides, au bord du canapé, regardant Simone, blême, qui faisait les cent pas dans son salon. Elle avait besoin qu'elles soient toutes là pour pouvoir penser à nouveau.

— Qu'est-ce qui se passe ?

— Tu te maries ?

— Tu me fais peur !

Simone avait laissé le silence s'installer avant de s'arrêter face à elles et de murmurer.

— La Reine a choisi de faire ses adieux à la vie.

C'est Juliette qui avait craqué la première. Giuseppina ne s'arrêtait plus de parler.

— *Perché ha fatto questo ? Non è possibile. L'ho vista ieri, stava bene. A che ora l'hai trovata ? C'erano medicine ? E la casa Celestina ?*

— Giu, je ne comprends pas l'italien.

— *È encora qui ? Voglio vederla.*

— Mais Giu !

— Et si je faisais du thé ? Pétales de mauve et…

— Fous-nous la paix avec ton thé, Rosalie !

— Tu as appelé le Samu ?

— Simone, tu es sûre que ce n'est pas un malaise ?

— Hé ! Les filles. C'est fini. Son cœur ne battait plus.

*Et dedans comme un matin gris, une fille qui tangue et qui se tait… et dans la musique du silence une fille qui tangue et vient mourir…*

On n'entendrait plus les accords des *Variations Goldberg* parvenir du cinquième étage, ni les mouettes, ni les cloches du village de Sainte-Eulalie où la Reine était née.

Les anémones étaient fanées dans le vase à l'entrée. Aucune odeur de pain ne flottait dans la cage d'escalier. Jean-Pierre rasait les murs. L'immeuble était figé.

Le quartier, lui aussi, avançait au ralenti. La Reine vivait là depuis longtemps. On l'admirait, on la craignait, on la trouvait fantasque, on n'avait pas compris sa décision d'interdire les hommes dans l'immeuble mais elle ne laissait personne indifférent. Ils l'appelaient la Reine ou la mère supérieure.

*

Le jour des funérailles, les frères Leroy ont enlevé leurs tabliers gris, baissé le volet de la quincaillerie, accroché un avis sur la porte. « Fermé pour cause d'enterrement. » La librairie et le Chou de Bruxelles ont aussi laissé portes closes. La famille Century au complet s'est mise en route pour le cimetière.

Tous sont rassemblés devant un monceau de terre. Monsieur Barthélémy est là, une main agrippée à son cabas, l'autre tenant bas un chapeau. Diego, en retrait, le visage à moitié caché par la capuche de son sweat-shirt, esquisse un signe de réconfort à l'attention de Simone. Au premier rang, un homme âgé se tient droit, sans canne, beau et fier.

— Qui est-ce ? demande discrètement Rosalie.

— Un de ses amants ?

En voyant la pierre tombale fraîchement gravée, elles ont compris que la Reine avait programmé et organisé son départ dans les moindres détails.

*Lucette Michaud*
*1938 - 2013*
*La vie est un fil*
*Nous sommes tous des équilibristes*

Elle avait aussi engagé le violoniste et choisi le morceau qu'il interprétait. A-t-on le droit d'être heureux à un enterrement par l'enchantement d'une sonate de Bach ? se demande Juliette en écoutant cet adagio qui, même pour les profanes, est une communion au-delà des notes.

Quelques anciennes danseuses sont là pour une dernière ovation silencieuse. Les traits parcheminés, elles essuient discrètement une larme, jettent des poignées de jasmin étoilé sur le cercueil en acajou foncé et s'en vont. Carla sourit en pensant qu'en Inde le jasmin symbolise la tentation féminine et porte le nom poétique de « reine des fleurs ».

L'inconnu s'approche de Juliette, qui tient la main de Simone, qui tient le bras de Giuseppina, qui s'appuie sur l'épaule de Rosalie, qui s'accroche à Carla.

— Vous êtes ses locataires ? demande-t-il dans un souffle.

Elles acquiescent. Il s'incline.

— Fabio Sartori. *Piacere…* enchanté.

*Fabio Sartori !*

Juliette se rappelle les confidences de la Reine, le soir de leur affrontement : « Sartori, un homme exceptionnel, raffiné, cultivé… Le seul homme qui m'a quittée avant que je le quitte. Quand il est revenu des années plus tard, nous sommes devenus amis. Il est le seul à qui j'aurai livré toutes mes âmes, mes fragilités, mes forces, mes doutes. L'amitié, tu sais, c'est comme une écharpe très douce dans laquelle on s'enroule. Tu partages ça avec ton ami Max, c'est ton vieux pull en cachemire à toi. »

Juliette hésite. Le moment est mal choisi et pourtant elle a envie de lui demander quelque chose.

— Vous aimez le vin ? De préférence les rouges qui portent de jolis noms ?

Les yeux tristes s'éclairent un instant.

— Je comprends maintenant pourquoi elle tenait tant à vous. Tant que je serai en vie, il y aura du vin à votre table le dimanche soir.

Il inspire profondément.

— Dans le dernier courrier que j'ai reçu de Stella, elle avait glissé ceci.

Il prend une enveloppe dans la poche intérieure de son pardessus. Ses mains tremblent.

208

— Elle m'a demandé de vous la remettre s'il lui arrivait quelque chose.

Juliette regarde ses quatre amies comme pour demander leur approbation avant d'accepter.

L'assistance se disperse lentement. Diego s'éclipse, le travail l'attend. Après le silence qui a succédé à la douceur du violon, après avoir regardé le cercueil disparaître sous la terre, elles ont envie de marcher, de respirer. Il y a un banc sous un grand hêtre. Sans qu'elles se soient concertées, c'est là que leurs pas les conduisent. Juliette s'assied entre Rosalie et Simone, Giuseppina et Carla. Deux moineaux picorent au pied du banc. Rosalie pose une main sur le bras de Juliette.

— À toi.

Juliette ouvre l'enveloppe. À l'intérieur, des clés reliées par un ruban. Et une lettre.

## 31

Mes chéries, mes amies,
Je vous écris en regardant le ciel, en écoutant le rossignol chanter.

Vous venez de le découvrir, je m'appelle Lucette. Pas
follement aérien comme prénom pour une danseuse
étoile ! Et pourtant, j'ai été Giselle, Carmen, Coppélia,
Cendrillon et tant d'amoureuses. J'ai triomphé dans
toutes les capitales du monde. J'ai joué la passion, la
souffrance, la trahison, la mort. Et le regard des hommes
a illuminé mon parcours. J'ai adoré être courtisée, les
nuits impromptues, les feux d'artifice. Mais le désir est
volatil et le cultiver au quotidien est un art subtil pour
lequel je n'étais pas douée. J'ai préféré la boule à facettes !

Mon corps épuisé se consume. Mon fidèle serviteur
me lâche. Mon espace rétrécit. J'ai toujours vécu dans

*le mouvement. Je ne peux plus danser, je ne peux plus séduire, je préfère partir, retrouver Noureev, Béjart et les autres. Je ne veux pas devenir un pantin désarticulé. Je ne veux pas entendre pleurer les bambous. Il me reste le pouvoir de mettre en scène le dernier acte et de dire : rideau !*

*Je ne crois ni au paradis ni à l'enfer. Vais-je danser dans un autre univers ? Je ne sais pas. Mais j'ai l'espoir insensé que nous nous retrouverons quelque part et que sur un prélude de Bach, nous rirons aux éclats d'avoir eu si peur de nous quitter pour toujours.*

*À cette idée, je pars le cœur presque léger.*

*Nous avons créé quelque chose de rare. J'ai aimé nos dimanches comme je n'ai jamais aimé un autre jour. Vous êtes des femmes d'exception, chacune à sa façon. Prenez soin de vous, mes voisines.*

*Carla, tu as vécu ton rêve indien, n'oublie pas la ruche.*

*Rosalie, je sais que tu reçois des cartes postales de François. Réponds-lui : « Ne m'écris plus », et ne fais pas le héron la prochaine fois qu'un homme te trouble.*

*Giuseppina, ton voisin aux Puces, celui qui vend des soupières, si tu lui préparais un velouté et que tu l'invitais à dîner ?*

*Simone, va danser ! Tous les hommes ne s'appellent pas Carlos.*

*Juliette, ma petite reinette, tu n'as pas eu l'enfance que tu méritais et moi je n'ai pas eu d'enfant. Les ful-*

gurances d'un soir ne font que des orphelins. Mais si j'avais eu une fille, j'aurais aimé qu'elle te ressemble : intense, obstinée, gourmande, idéaliste. Tu as l'appétit violent des gens qui ont manqué, c'est ta façon à toi de ne pas tomber. Tu m'as résisté et je t'admire pour ça. Bientôt, tu n'auras plus besoin de dormir avec la radio allumée pour ne pas te réveiller dans le silence. Tu trouveras l'animal qui te convient. Al Pacino est déjà pris mais le tien est quelque part, j'en suis persuadée.

Mon refuge en plein ciel est pour toi. Tu peux enlever les affiches de Stella et les remplacer par des miroirs. Si tu veux me faire plaisir, garde le « Fou » et les nuages.

Mes précieuses, je vous confie la Casa Celestina. Vous avez trouvé ce nom ensemble, poursuivez dans la « célestinité ». C'est la fin d'une dynastie, à vous de définir le nouveau protocole en usage. Mais ne renoncez jamais aux grains de folie qui nous ont rendu la vie si douce.

Je m'en vais tutoyer les anges, peut-être m'apprendront-ils à voler d'une autre façon.

Au revoir mes chéries.
Votre Reine

## 32

Elles restent assises un long moment, bercées par le bruissement du vent dans les feuilles du hêtre qui déploie ses branches au-dessus d'elles. Pas un mot. Pas de gêne non plus.

À la sortie du cimetière, Jean est là, les mains dans les poches de son blouson de cuir. Il attendait Juliette.

Les autres prennent le chemin de la maison. Juliette et Jean les suivent tranquillement.

— Qu'est-ce qu'on fait ? On le laisse entrer ? demande Carla.

— « Laisse aller ce qui va, accueille ce qui vient », murmure Rosalie.

— Si on accepte le cordonnier, après ce sera le plombier.

— Et bientôt l'immeuble des femmes qui disent oui aux hommes.

— En voilà une qui a trouvé chaussure à son pied, soupire Simone.

Juliette et Jean rejoignent le groupe.

Arrêt sur image.

La queue en panache, le chéri de ces dames émerge d'un massif d'hortensias.

Les regards se croisent.

Le ciel s'éclaircit.

Giuseppina ouvre la grille.

— *Benvenuto Giovanni !* Hé Jean-Pierre… laisse-le entrer, t'es plus le seul mâle de l'immeuble !

À sa fenêtre, monsieur Barthélémy applaudit.

Il fallait un car de supporters pour accompagner mon rêve d'auteur. Enthousiastes, fidèles, précieux… mes enfants, mes amis, un immense grand frère, une première lectrice porte-bonheur, un compagnon de voyage désopilant, des relecteurs anonymes ou célèbres, une bonne fée. Tous m'ont donné des ailes.

*Mille mercis !*

Le Livre de Poche s'engage pour
l'environnement en réduisant
l'empreinte carbone de ses livres.
Celle de cet exemplaire est de :
250 g éq. $CO_2$
Rendez-vous sur
www.livredepoche-durable.fr

PAPIER À BASE DE
FIBRES CERTIFIÉES

Composition réalisée par PCA

Achevé d'imprimer en janvier 2017, en France sur Presse Offset par
Maury Imprimeur – 45330 Malesherbes
N° d'imprimeur : 214211
Dépôt légal 1re publication : juin 2015
Édition 15 – janvier 2017
LIBRAIRIE GÉNÉRALE FRANÇAISE – 21, rue du Montparnasse – 75298 Paris Cedex 06

30/1116/2